Denise Bordeleau Pepin

Ignace de Loyola
François-Xavier
Pierre Favre

Les Compagnons Jésuites en Nouvelle-France

Éditions du Long-Sault

Remerciements

Notre vive gratitude à ceux et celles
qui nous ont aidé à compléter cet ouvrage.

Pierre Bélanger s.j.
coordinateur du Chantier 2006

Michel Archambault
pour la conception et mise en page

René Champagne s.j.
pour l'Église des Jésuites et leur vieux collège (1761)

Jean-Claude d'Hôtel s.j.
«Qui es-tu Ignace de Loyola?» 1985 pour des textes

Jean-Claude d'Hôtel, s.j.
Les Jésuites de France
pour des textes   1986

Gilles Chaussé s.j.
Les Jésuites et le Canada Français (1842 - 1992)
pour des textes et des photos

Claude Langlois s.j.
pour les lavis

Gérard Malchelosse
Le Régiment de Carignan
Mélanges historiques de Benjamin Sulte   1922
pour des textes

Les Jésuites
Cahiers Pour Croire Aujourd'hui   1990
pour des textes et des photos

La Maison des Jésuites
Les Éditions Bagatelle   1995
pour des textes et des photos

Annuaire de la Compagnie de Jésus
JÉSUITES 2006
pour des textes et des photos

Alexie Doucet
pour la mise au point

Les Compagnons Jésuites
en Nouvelle-France

En hommage
aux Jésuites
de la Province du
Canada Français

Prologue

Ignace de Loyola — François-Xavier Pierre Favre

Parmi les fondateurs de leur Ordre, les Jésuites et leurs amis soulignent cette année des anniversaires de trois d'entre eux. De saint Ignace de Loyola, on se souviendra du 450e anniversaire de sa mort, ainsi que du 500e anniversaire de la naissance de saint François-Xavier et du bienheureux Pierre Favre.

Les trois compagnons se sont connus en France au cours de leurs études à l'Université de Paris, alors qu'ils logeaient à la pension Sainte-Barbe. La fondation de la Compagnie de Jésus les retrouvera à Rome mais pour peu de temps, alors que les attendent des destins fort différents.

Des trois compagnons du groupe, seul Ignace de Loyola y passera les dix-huit dernières années de sa vie. François-Xavier, appelé à devenir le grand apôtre de l'Orient, quittera la compagnie naissante et laissera son vote scellé pour l'élection de son supérieur général. Quant à Pierre Fabre, il sillonnera l'Europe, l'Allemagne et surtout l'Espagne, avant de venir mourir en Italie, à la veille du Concile de Trente.

Tout au cours de 2006, le monde entier va vibrer au souvenir de l'engagement des sept premiers Compagnons de Jésus qui ont prononcé leurs voeux au martyrium Saint-Denis, sanctuaire de la Butte Montmartre à Paris, au cours de la messe célébrée par Pierre Favre, le premier d'entre eux à recevoir l'ordination.

Ignace de Loyola
1491 - 1556

Ignace de Loyola est né en Espagne près d'Azpeitia en 1491, le treizième et dernier enfant d'une famille noble et chrétienne, et est mort à Rome en 1556.

L'Espagne de l'époque est en plein essor de reconquête sur les Maures et de grandes découvertes maritimes.

Ses premières années relèvent davantage de race et d'épée.

Gentilhomme blessé à la guerre, après une longue convalescence, il se livre à une retraite mystique et, plusieurs années plus tard, avec sept compagnons, forme en 1534 un groupe au service du pape à Rome, que, quatre ans plus tard, Paul III transformera en l'Ordre des Jésuites.

« Contemplatif dans l'action et cherchant à voir Dieu en toute chose pour découvrir Sa Volonté et l'accomplir, il sera l'homme dont l'Église et le monde ont besoin à cette époque-là ».

Quatre cents ans plus tard, son guide de méditations systématiques appelé « Exercices spirituels » continue de former la famille ignacienne mondiale.

Saint Ignace de Loyola

Portrait : oeuvre de Jacopino del Conte (1598-1636)

François-Xavier
1506 - 1552

François-Xavier (dit Francisco de Jaso), jésuite espagnol, naît à Javier au pays de Navarre en 1506 et devient l'un des premiers compagnons de la Compagnie de Jésus lorsqu'il part poursuivre ses études à Paris, où il recevra le grade de maître ès arts.

C'est à la pension Sainte-Barbe qu'il partage la chambre de Pierre Fabre, un savoyard de son âge qui devient rapidement son ami.

Ce n'est que plus tard qu'Ignace de Loyola, âgé de 43 ans, rejoindra les deux jeunes gens.

Il est du groupe des Sept qui prononcent leurs premiers voeux, en la chapelle du martyrium de la Butte Montmartre.

À Rome, lorsque viendra le moment de finaliser l'élection du premier de la Compagnie de Jésus, François-Xavier sera déjà en route pour les Indes, où le Portugal l'appelle par pour évangéliser le continent.

Avant son départ, il laisse son billet d'élection scellé au scrutateur.

C'est en 1552 qu'il viendra mourir, épuisé, aux portes de la Chine.

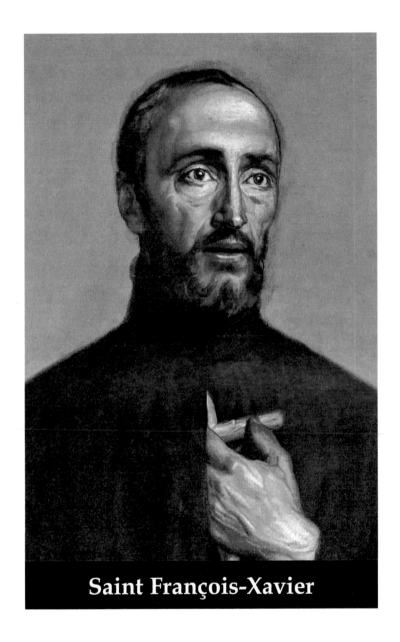

Saint François-Xavier

Saint François-Xavier : E. Salaverria (1883-1952)

Pierre Favre
1506 - 1546

Savoyard de naissance, Pierre Fabre naît aux fêtes pascales de 1506, d'une famille de paysans du Villaret, un petit village de la vallée du Grand-Bornand, où on lui confie la garde du bétail aux pâturages.

Mais son désir d'étudier est si grand que ses parents se voient dans l'obligation de lui assurer des maîtres d'école, qui le conduisent en 1530 à Paris, où, après Pâques 1536, il obtient le grade maître ès arts à l'université de Paris.

C'est vers cette époque qu'il entre à la pension Sainte-Barbe, où il partage la chambre avec François-Xavier et Ignace de Loyola.

Deux ans auparavant, il avait accédé aux Ordres majeurs qui l'avaient conduit à la prêtrise.

C'est lui qui, le 15 août suivant, célébrera la messe au milieu d'Ignace et de ses cinq autres compagnons.

Il fut apôtre de l'Europe, d'Allemagne, et surtout d'Espagne, qu'il quittera pour aller mourir en Italie à l'âge de 40 ans, sur la route du Concile de Trente, où il était attendu.

Bienheureux Pierre Favre

Extrait de la biographie de O. Lione (1617)

Les premiers
Compagnons Jésuites

François-Xavier, 28 ans.
Navarrais de famille noble.
Hidalgo ambitieux et ombrageux.
Champion de saut en hauteur.
Il voulait faire carrière dans le monde
ecclésiastique pour y gagner titres
et revenus. C'est alors qu'il rencontra
Ignace.
Missions aux Indes, au Japon et en Chine.

Pierre Favre, 28 ans.
Jeune prêtre savoyard
de famille paysanne.
Premier compagnon d'Ignace,
qui appréciait sa manière de donner
les « Exercices spirituels ».
Missions en Italie, en Allemagne,
en Espagne et au Portugal.

Diego Laynez, 22 ans.
Castillan de famille noble.
Reçu maître ès art à 20 ans.
Il sera le deuxième Supérieur Général
de la Compagnie de Jésus.
Missions en Allemagne et en Italie.
Théologien au Concile de Trente.

Alphonse Salmeron, 19 ans.
Castillan de famille paysanne.
Il était un orateur né.
Missions en Allemagne, en Italie,
en Irlande, en Pologne et aux Pays-Bas.
Théologien au Concile de Trente.

Simon Rodriguez, 24 ans.
Portugais de famille noble.
Espiègle et remuant.
Il avait beaucoup d'amabilité dans
la conversation.
Missions au Portugal.
N'a pu partir avec
François-Xavier aux Indes.

Nicolas Bobadilla, 25 ans.
Castillan de famille paysanne.
Un vrai conquistador !
Missions en Allemagne et en
Italie.

MÉMENTO

Un sanctuaire de la butte Montmartre à Paris

Crypte du Martyrium de Saint-Denis et du Souvenir de Saint Ignace de Loyola

Les origines du sanctuaire remontent à l'époque de l'évangélisation de Lutèce, pèlerinage millénaire en l'honneur de saint Denis et de nombreux martyrs sacrifiés sur la Butte Montmartre.

Primitivement, une chapelle souterraine, la Cave Saint-Denis, présentait des analogies avec les catacombes romaines de par ses inscriptions et symboles gravés dans la roche.

Plus tard, une chapelle bâtie sur les lieux donnait lieu, tous les sept ans, à une procession instituée par le roi Dagobert. Elle fut placée sous la garde des moines de Saint-Denis et rebâtie en 1133 par Louis XI le Gros, qui la confia aux Bénédictines de l'abbaye fondée par Adélaïde de Savoie.

Très abîmée pendant le siège de Paris par Henri IV, la chapelle fut restaurée par les soins de l'abbesse des Bénédictines, qui y fit construire en 1611 une église beaucoup plus grande, englobant le petit martyrium.

C'est à cette occasion que fut découverte la Cave Saint-Denis primitive, qui attira toute la Cour et un grand nombre de pèlerins à tel point qu'en 1622, la chapelle fut érigée en prieuré et devint en 1681 la chapelle paroissiale.

Une tempête révolutionnaire s'acharna sur Montmartre et, en 1790, l'abbaye était supprimée par décret, l'abbesse guillotinée et le domaine vendu.

Toutefois, la chapelle paroissiale échappa au vandalisme sacrilège de Paris, qui conserva heureusement ce joyau médiéval.

En 1855, le curé de la Madeleine conçut le projet de restituer à Paris ce trésor du passé et s'en rendit acquéreur.

En plein siège de Paris, en 1870, il célébra la première messe qui allait redonner vie au sanctuaire.

En 1877, les religieuses Auxiliaires en devinrent les gardiennes, puis en 1952, la crypte fut restaurée grâce à la générosité des Jésuites américains et anglais.

Depuis 1970, le martyrium se trouve à Paris, dans les emprises de l'Association*, qui en assure l'entretien et l'ouverture au culte et aux nombreux pèlerins qui viennent y remonter dans la nuit des temps.

- En 1162, le Pape Alexandre III vient à Paris pour la pose de la première pierre de Notre-Dame de Paris.

- En 1170, saint Thomas Becquet s'entretient à Montmartre avec son futur bourreau, Henri II Plantagenêt, roi d'Angleterre.

* Association pour la crypte du Martyrium : 9, rue Yvonne-Le-Tac, Paris 75018.

- En 1246 et 1269, saint Thomas d'Aquin vient plusieurs fois y prier.

- Sainte Brigitte de Suède serait également montée au martyrium.

- En 1593, entouré de sa cour, Henri IV revient en action de grâces de son abjuration.

- Saint Vincent de Paul (curé de Clichy) vient pèleriner au martyrium de Montmartre, tout comme saint François de Sales.

- Le roi Louis XIII voue une dévotion particulière au Martyrium, et en 1643, Louis XIV, alors enfant, y accomplit son pèlerinage.

Mais parmi les souvenirs historiques et pieux qui imprègnent ce lieu, le plus vivant et le plus fervent est celui de saint Ignace de Loyola.

C'est en effet le 15 août 1534, dans cette chapelle du martyrium, que se réunirent saint Ignace et ses premiers compagnons. Ils y prononcèrent leurs voeux pendant la messe, célébrée par Pierre Fabre, le premier d'entre eux à être ordonné.

Le martyrium devint ainsi le lieu de la naissance spirituelle de ce qui allait devenir la Compagnie de Jésus.

Déjà au XVIIe siècle, les Moniales avaient spirituellement adopté les missions des pères Jésuites au Canada, et chaque jour, trois d'entre elles communiaient à leur intention.

Sous l'impulsion de l'Association (Loi 1901), constituée sous l'appellation « Association pour la crypte du Martyrium et du Souvenir de Saint Ignace de Loyola », des messes sont célébrées et concélébrées au martyrium, des fleurs fraîches y sont renouvelées et des prêtres et des laïcs y sont reçus, en particulier, ceux appartenant à la Compagnie de Jésus.

Ainsi la source spirituelle ne cesse d'être jaillissante.*

Martyrium Saint-Denis
15 août 1534

*Source : Association pour la crypte du Martyrium et du Souvenir de Saint Ignace de Loyola.

La Compagnie de Jésus en France

Un peu d'histoire

C'est à Paris qu'est née la Compagnie de Jésus.

Au terme de sept années de séjour, Ignace de Loyola obtient le grade de maître ès arts de l'université de Paris. C'est probablement à cette époque qu'il achève le manuscrit de ses « Exercices spirituels » et rassemble les premiers compagnons qui formeront avec lui le nouvel ordre religieux, lorsqu'il sera reconnu à Rome le 27 septembre 1540 par le pape Paul III.

À son décès, le 31 juillet 1556, il comptait sur près d'un millier de sujets, la plupart résidant dans les 50 collèges répartis à travers 11 provinces jésuitiques de huit différents pays.

En 1562, sous le règne de Marie de Médicis, six ans après la mort de son fondateur, la Compagnie s'établit en France à la suite d'une décision entérinée par le parlement, et les Jésuites vont assurer « la prédication au peuple et l'éducation de la jeunesse ».

Deux ans plus tard, le collège Clermont ouvre à Paris et devient, un siècle plus tard, le collège Louis le Grand, qui existe toujours depuis le XIXᵉ siècle.

En 1604, le roi Henri IV confie aux Jésuites le collège de la Flèche, qui offre, avec le collège de Paris, un établissement de haut savoir, où les membres de la Compagnie de Jésus vont compléter leurs études supérieures.

Tout comme le collège Clermont, celui de La Flèche demeure une maison d'éducation, et devient en 1808 Le Prytanée National Militaire.

Simultanément, une maison de formation spécialement fondée en vue des missions lointaines ouvre à Saint Vivien de Rouen, en Normandie.

Le 8 septembre 1617, c'est vers ce noviciat que se dirigera Jean de Brébeuf, l'un des premiers jésuites missionnaires en Nouvelle-France.

Les origines religieuses de la Nouvelle-France

Du XVIIᵉ siècle à nos jours

Pour nous situer dans cette époque, voyons ce qui s'y passe dans le monde.

Le XVIᵉ siècle s'achève !

Âge d'or de l'Espagne, les grandes conquêtes, la puissance civile et les arts au pinacle confirment au monde entier l'autorité indéniable de la reine Isabelle.

La vie religieuse en pleine expansion produit une pléiade de saints, de mystiques et de fondateurs de communautés, dont la renommée va se maintenir.

Ignace de Loyola s'éteint à Rome le 31 juillet 1556.

On connaît depuis deux ans déjà, la disparition de François-Xavier, compagnon de fondation de la Compagnie de Jésus, mort d'épuisement avant d'accéder à la Chine.

Le pèlerinage terrestre de Thérèse d'Avila s'est arrêté le 15 octobre 1582, suivi de celui de Jean de la Croix, le 14 décembre 1591.

Pendant ce temps, les guerres des religions sévissent en France; catholiques et protestants s'entretuent, les bûchers flambent et les supplices se font de plus en plus atroces.

Toutefois, ce conflit qui ensanglante le pays durant 16 ans, s'achève par la conversion de Henri de Navarre, lorsqu'il accède au trône de France, en 1689, sous le nom d'Henri IV.

Le milieu du siècle, de 1543 à 1563, connaît le concile de Trente, qui va s'attaquer à la réforme de l'Église.

L'Italie offrira saint Charles Borromée et saint Philippe de Néri.

Saint François de Sales, Jean-Jacques Olier, saint Jean Eudes, saint Vincent de Paul et d'autres permettront à la France d'atteindre un âge d'or dans l'Histoire de la spiritualité chrétienne.

Une citation de Son Éminence Louis Albert Vachon, cardinal émérite de Québec, illustre bien le climat de cette époque :

Il prévalait en France, comme ailleurs en Italie et en Espagne, une « situation d'ensemble » marquée de déficiences de tout ordre, de ralentis fort dommageables à la vie chrétienne en presque tous les milieux.

Et pourtant, sous l'impulsion de l'Esprit Saint et la direction de l'Église, allait poindre un grand renouveau chrétien en presque tous les milieux, qui allait parvenir jusqu'en Nouvelle-France.

Quel serait le but à poursuivre ? Une réforme intérieure, une conversion réelle en profondeur, qui deviendra l'expression théologique de l'Ecole française de spiritualité du XVIIe *siècle.*

Les principaux champs d'intervention allaient être l'éducation de la foi, les exigences de sainteté, du prêtre comme tel, puis de tous les baptisés, et l'existence de congrégations religieuses orientées vers l'action.

On parlera de « floraison mystique » et « d'élan missionnaire ».

Des missions intérieures s'ouvriront sur des missions extérieures parfois lointaines, dont le Canada, où partiront des évangélisateurs, des formateurs, des fondateurs dont la vie marque encore notre Église d'aujourd'hui » !

Au début du XVIIe siècle, le trône de France est occupé par le roi Henri IV.

Depuis sa conversion, il est assisté par un directeur spirituel de la Compagnie de Jésus, le père Pierre Coton, qui, comme tout bon religieux jésuite de l'époque, rêve d'évangélisation.

Les Fils de Saint Ignace sont d'ailleurs impliqués depuis longtemps dans cette orientation missionnaire, tâche qui leur a été assignée par le souverain pontife, dès sa fondation.

Le Portugal s'oriente vers l'Asie.

Quant à l'Espagne, elle opte pour l'Amérique du Sud.

Tout naturellement, la France regarde vers le continent nord-américain et dès 1607, le roi souhaite envoyer des missionnaires en Nouvelle-France.

Lors de la fondation de Québec, en 1608, Samuel de Champlain, originaire de Brouages en Saintonge, invite les Récollets de son village à venir assurer les services spirituels à la colonie naissante.

La palme de la première semence de la Foi chrétienne en Amérique du Nord revient à quatre d'entre eux, déjà à pied d'oeuvre à Québec en 1615.

Dix ans plus tard, ils connaissent leur premier martyr pour la Foi au Nouveau Monde, lorsque le père Nicolas Viel, missionnaire en Huronie, est noyé dans la rivière des Prairies avec son catéchiste Ahuntsic, sur la route de retour (d'où l'appellation de Sault-au-Récollet au nord de Montréal).

Les Jésuites
au Nouveau Monde

1610

Première tentative
d'évangélisation

Quant à la Compagnie de Jésus en Nouvelle-France, son histoire commence officiellement avec l'arrivée du premier groupe de missionnaires, qui débarquent à Québec le 15 juin 1625.

Dès l'automne 1610, afin d'acquiescer à la demande royale d'envoyer des Jésuites en Acadie avec mission d'assister les colons et convertir les indiens, et dans une première tentative d'implantation de la Compagnie de Jésus en Amérique du Nord, le 26 janvier 1611, le *Grâce de Dieu* avait emporté les pères Pierre Biard et Énemond Massé à Port Royal en Acadie, par décision du père Pierre Coton, provincial et confesseur du roi.

Malheureusement, des jeux politiques malveillants vont provoquer l'échec de cette tentative et ramener les missionnaires en Angleterre pour les emprisonner.

Toutefois, loin de refroidir le zèle des généreux de la Bonne Nouvelle, la « Relation » du père Biard, relatant l'expérience missionnaire des deux Jésuites, va provoquer un appel profond chez de nombreux candidats qui souhaitent partir à leur suite et susciter chez leurs compatriotes un intérêt qui ne se démentira jamais.

Cette tentative renaîtra quinze ans plus tard, lorsque les Jésuites seront appelés à venir épauler les Récollets, établis au pays depuis une dizaine d'années.

Cependant, la venue de la Compagnie de Jésus en Amérique du Nord ne constitue pas une première dans l'évangélisation des pays lointains.

Un siècle plus tôt, à Rome, la jeune société connaissait le départ de François-Xavier, sollicité par le Portugal pour ses missions d'Orient, et l'Espagne oeuvrait déjà dans les contrées sud de l'Amérique pendant que la France se tournait vers les régions nordiques du continent.

Pierre Biard, natif de Grenoble, avait enseigné la théologie au collège des Jésuites à Lyon, où il mourra douze ans plus tard.

Il ne retournera pas au Canada, il ne sera pas « martyr canadien », mais avec son compagnon, sera reconnu comme l'un des premiers évangélisateurs Jésuites au Nouveau Monde.

Quant à Énemond Massé, il reviendra au pays à deux reprises et mourra en 1646, à la Maison des Jésuites de Sillery près de Québec.

De l'établissement de la Compagnie de Jésus en Nouvelle-France, en 1625, naîtra le premier jalon de la province du Canada français.

1625

Nouvelle tentative

On connaît maintenant l'intervention de Samuel de Champlain dans l'implantation des Récollets au pays. Malheureusement, quinze ans plus tard, les moyens financiers de la communauté et ses limites en ressources humaines ne lui permettent plus d'assurer seule les services spirituels auprès des autochtones, qui se doublent de ceux d'une colonie en pleine expansion, et ils doivent faire appel à la Compagnie de Jésus. Cette éventualité est attendue avec impatience par le père Coton et ses Jésuites.

Au début de mars 1625, un avis officiel du pouvoir royal les autorise à établir une résidence à Québec et ailleurs en Nouvelle-France.

Dans la cohorte des religieux disponibles, cinq candidats sont choisis parmi les plus qualifiés, dont trois pères et deux frères coadjuteurs. Aux pères Énemond Massé, 51 ans, adjoint au recteur de La Flèche qui, de par son expérience en Acadie, en est à sa seconde traversée, Charles Lalement, 38 ans, supérieur au collège Clermont à Paris et Jean de Brébeuf, 32 ans, économe au collège de Rouen, s'ajoutent deux religieux coadjuteurs, François Charton et Gilbert Burel. Le 24 avril 1625, les missionnaires quittent le port de Dieppe.

Ce premier jour d'une longue épopée va les mener dans une aventure hors du commun. Durant les vingt-cinq ans suivants, va s'écrire l'une des plus belles pages de l'histoire religieuse de la Nouvelle-France.

Mais pour bien comprendre les événements qu'ils vont vivre, il y a lieu de se placer dans le contexte politique du temps.

Pour la France, le XVIIe siècle coïncide avec les grands projets d'exploration concrétisés par la fondation de Québec en 1608 et par la création de la compagnie des Cents Associés en 1627, à qui est confié le triple mandat du peuplement, de l'exploitation commerciale et de l'évangélisation.

La mission de la Compagnie de Jésus se situe, bien sûr, dans ce dernier volet, mais les enjeux risquent fort d'identifier les missionnaires comme des agents prédécesseurs d'implantation politique.

Il y a fort à parier que, en s'impliquant dans les projets de la France, les Jésuites vont se trouver coincés dans le jeu de compétition commerciale entre Anglais, Hollandais et Français, à laquelle va s'ajouter la haine séculaire entre Hurons et Iroquois. Malgré ces sombres perspectives et les risques qu'elles comportent, les Jésuites, guidés par les Récollets qui les ont précédés, choisissent la Huronie comme territoire apostolique. Au nord-ouest des Grands Lacs, les Hurons, ainsi surnommés par les Français à cause de la touffe de cheveux qu'ils portent sur la tête comme des hures de sanglier, logent dans de longues maisons regroupées en petits bourgs. Sédentaires de tradition, producteurs de maïs, par leur habitude de vie, les autochtones du pays sont probablement plus susceptibles de recevoir le message chrétien véhiculé par les missionnaires que les tribus algonquines et montagnaises, en constants déplacements.

L'ancre est jetée le 15 juin, après 52 jours de traversée sans histoire.

Non attendus et non désirés par la population, les voyageurs sont sommés de retourner chez eux par le représentant du gouverneur.

Mais comme les Récollets ont sollicité leur venue, ils leur proposent le partage de leur maison près de la Rivière Saint-Charles, à la Pointe Jacques-Cartier, pour leur permettre d'obtenir un lopin de terre où s'installer à proximité.

Dès septembre, avec l'aide de Louis Hébert, premier colon à Québec, les nouveaux venus lèvent la première pelletée de terre pour la construction de Notre-Dame des Anges.

Au cours de l'automne, pour se familiariser avec la langue des Algonquins en attendant de rejoindre la Huronie l'année suivante, Jean de Brébeuf va suivre ces derniers dans leurs pérégrinations hivernales.

L'été suivant, il s'embarque pour le pays des Hurons et, pour apprendre leur langue et leurs coutumes, cohabite avec eux.

Mais, mis à part le baptême de quelques bébés moribonds, l'échec, l'opposition, l'indifférence et l'incompréhension demeurent son lot quotidien.

C'est par les souffrances et les difficultés de tous les jours qu'il inculque la foi à ce peuple choisi.

Pour ses frères qui viendront, il rédige un dictionnaire français-huron, élabore une grammaire et traduit du latin au huron le petit catéchisme espagnol de Ledesma.

En 1629, par les exploits des frères Kirke, la colonie passe à l'Angleterre, qui oblige les missionnaires à retourner chez eux.

Mais ayant été indûment saisie, la colonie revient à la France au Traité de Saint-Germain-en-Laye, le 25 mars 1631, et permet le retour des Jésuites.

Le 18 avril de l'année suivante, le père Anne de Nouë et le frère Burel quittent le pays, du port de Honfleur, avec Paul Le Jeune, nommé supérieur.

Au cours de l'été, les pères Ambroise Davost et Antoine Daniel font voile à leur tour sur le vaisseau de Charles Daniel, le frère de ce dernier, qui retourne au Cap Breton pour y passer l'hiver.

Le 23 mars 1633, pour la troisième fois, Énemond Massé, maintenant âgé de 52 ans, repart définitivement avec Jean de Brébeuf.

Les missionnaires, qui naviguent sur le *Saint-Pierre*, battant pavillon de Samuel de Champlain, devenu gouverneur du pays, s'arrêtent au Cap Breton le 5 mai pour y prendre les pères Daniel et Davost, et seront à Québec le 23 mai, d'où ces derniers suivront le père de Brébeuf lors de son retour en Huronie l'année suivante.

L'histoire de l'évangélisation huronne débute alors vraiment et va durer quinze ans dans d'innommables conditions de climat, de nourriture et de logement, sous la menace à peu près constante de ceux qu'ils sont venus évangéliser.

Jusqu'en 1649, malgré ces nombreuses difficultés, vingt-trois missionnaires jésuites vont partager tour à tour le labeur de Jean de Brébeuf et seront sur le point d'atteindre l'ambitieux objectif de faire d'une nation païenne une chrétienté d'une ferveur ardente, qui ne sera pas sans rappeler l'Église primitive.

Mais les Iroquois, appuyés par les Hollandais qui les ont armés de mousquets et d'arquebuses, vont changer les règles du jeu et anéantir leurs efforts en menaçant les Hurons, qu'ils identifient « comme cibles à abattre ».

Les nombreuses offensives qui déciment les rangs de la nation iroquoise demandent du renfort. Les Iroquois poursuivent deux objectifs : en éliminant la race Huronne ou en l'assimilant pour ne former avec elle qu'une seule nation, ils pourraient du même coup s'approprier un territoire giboyeux plus abondant que le leur. Mieux organisés et armés que leurs ennemis, les Iroquois anéantissent la nation huronne, et certains de leurs pasteurs y laissent leur vie.

Quinze ans plus tard, accompagné de Gabriel Lalement, Antoine Daniel, Charles Garnier et Noël Chabanel, Jean de Brébeuf y trouve le martyre. Cette hécatombe met fin à quinze ans d'évangélisation, mais la mission commencée avec son fondateur a permis le baptême de plus de 7000 Hurons.

Durant six ans, Isaac Jogues a partagé la vie de ses compagnons missionnaires en Huronie.

En 1642, alors qu'il est chargé de leur ravitaillement à Québec, il est capturé par les Iroquois sur la route du retour, à hauteur de Lanoraie, avec son compagnon le « donné » René Goupil, qui subi le martyre deux mois plus tard.

L'année suivante, avec l'assistance des Hollandais, le père Jogues s'évade, touche le sol de France à Noël et revient au Québec en juin 1644, où il passe l'hiver à Ville Marie.

Par la suite, sa connaissance de la langue lui voit attribuer un poste d'ambassadeur de la paix et de négociations auprès de la nation iroquoise.

Sa mission réussie dans un projet d'évangélisation, il lui est demandé d'y retourner. Hélas, malgré ses succès, les Iroquois ne sont pas prêts à le recevoir, et il est décapité à Auriesville le 18 octobre 1646.

Le lendemain, son compagnon Jean de Lalande subira le même sort. *

* Sur le Chemin du Roy, à Lanoraie, au carrefour de la petite rivière Saint-Joseph et du fleuve Saint-Laurent, la Société Historique de Lanoraie a fait ériger une plaque commémorative qui identifie l'endroit où eut lieu la capture du Père Jogues et de René Goupil (près du Motel Villa d'Autrai).

Les Compagnons Jésuites
en Nouvelle-France

Au cours du XVIIᵉ siècle, moins d'une centaine de missionnaires jésuites traversent l'Atlantique vers le Nouveau Monde.

De l'âge de la colonie, jeunes, ardents, enthousiastes et surtout d'une générosité sans pareille, ils se caractérisent par leur foi profonde, liée à un amour inconditionnel de Jésus-Christ.

Parmi eux, les martyrs canadiens sont de la première équipe des fondateurs de l'Église au Canada.

De 1634 à 1649, la Huronie va accueillir près d'une trentaine de missionnaires, qui vont partager les mêmes joies, les mêmes espoirs, les mêmes fatigues et les mêmes tribulations. Ils seront également menacés et, parfois même, frôleront la mort.

Au cours cette grande épopée, trois rectorats vont se succéder.

Durant le premier, sous la régence de Jean de Brébeuf, de 1634 à 1638, lors de son départ, Antoine Daniel et Antoine Davost sont du voyage. S'y joindront François le Mercier et Pierre Pijeart en 1635; Pierre Chastelain, Charles Garnier et Isaac Jogues en 1636 et Paul Ragueneau en 1637.

Puis, durant la gouverne de Jérôme Lalement, de 1638 à 1644, s'ajouteront Simon Le Moyne et François du Perron en 1638, Pierre Chaumenot et Joseph Antoine Poncet en 1639, et René Ménard, Léonard Garreau et Noël Chabanel en 1643.

Enfin, lorsque Paul Ragueneau deviendra supérieur en 1645, pour le demeurer jusqu'à la fermeture en 1650, Charles Raybault et François Bressani rejoidront la mission auxquels s'ajouteront Jacques Bonnin, Adrien d'Aran, Adrien Greslon en 1647, et le dernier, Gabriel Lalement en 1648.

Mais des Jésuites passés en Nouvelle-France, tous ne sont pas montés en Huronie.

Quelques missionnaires ont rejoint le Cap Breton et les régions du Saguenay, des Grands Lacs, de l'Iroquoisie, de la Baie d'Hudson et du Mississipi.

De plus, quelques-uns d'entre eux, tout en étant affectés à des tâches pastorales, seront appelés à occuper des fonctions administratives.

D'autres le seront à titre d'aumôniers militaires auprès des troupes du régiment Tracy-Carignan-Callières, de 1665 à 1667, lors de l'offensive contre la nation iroquoise.

Les chroniques signalent que près de la moitié du groupe, après un séjour plus ou moins long, sont retournés en France.

Dès l'abolition de la mission huronne, plusieurs allaient rentrer dans leur pays, deux ou trois d'entre eux se sont dirigés vers la Martinique et un autre vers la Chine.

Mais tous ont été missionnaires « à part entière » et demeurent les grandes figures de notre histoire !

Quelques-uns, toutefois, ont continué leur travail apostolique à Québec ou auprès des autochtones et plus tard, d'autres viendront poursuivre l'évangélisation commencée.

Durant les 175 ans de la présence des Jésuites en Nouvelle-France, de l'arrivée des cinq premiers, en 1625, au décès du dernier d'entre eux, en 1800, les annales ont relevé 320 évangélisateurs de la foi.

Dix-sept ont sacrifié leur vie d'une manière ou d'une autre, en plus des huit martyrs canadiens.

Qu'en est-il de la pléiade d'apôtres de l'ombre qui font partie de notre histoire ?

Qui étaient ces compagnons qui les ont connus et rejoints en Huronie et ailleurs ?

Que sont-ils devenus ?

C'est dans la « Relation des Jésuites » qu'il a été possible de les retrouver.

Commencée par le premier supérieur Paul Le Jeune, en 1633, elle paraîtra à Paris jusqu'en 1672, lorsque le supérieur de l'époque, Claude Dablon, en signera les dernières pages.

De même, les « Annales » des Augustines de l'Hôtel-Dieu de Québec (1636-1716) et celles du Monastère des Ursulines de Marie de l'Incarnation signaleront la plupart d'entre eux.

Par ordre d'arrivée en Nouvelle-France seront mentionnés ceux qui semblent les plus significatifs.

Les Missionnaires

1625

Énemond Massé

Avec le père Pierre Biart, déjà cité, Énemond Massé a été l'un des premiers missionnaires jésuites à venir en Nouvelle-France.

Né à Lyon 1574, il entre au noviciat des Jésuites à l'âge de vingt ans, après trois années d'enseignement de grammaire à Tournon, de 1597 à 1600, suivies de trois ans de théologie, il est ordonné prêtre en 1603 et, après sa troisième année de probation, demeure à Lyon jusqu'en 1608.

C'est alors qu'il prononce ses derniers voeux de coadjuteur spirituel, à la fête de saint Luc, le 18 octobre, jour de l'ouverture solennelle des classes dans les collèges de la Compagnie de Jésus.

L'année suivante, il est donné comme compagnon au père Pierre Coton, confesseur d'Henri IV, et désigné pour partir en Nouvelle-France mais doit attendre deux ans avant de s'embarquer pour Port-Royal en Acadie avec le père Biard, retenu par la malveillance de calvinistes français.

Cet essai d'évangélisation, après la victoire des Anglais, surtout marqué par des incompréhensions politiques, se solde par le retour en France des missionnaires, qui sont emprisonnés en Angleterre durant neuf mois avant de pouvoir rentrer chez eux en 1614.

Après un court séjour à Paris, le père Massé passera dix années au collège de La Flèche, où il rencontrera, entre autres, les futurs missionnaires du Canada, Anne de Nouë, Charles Lalement, Paul Le Jeune, Barthélemy Vimont, Jacques Buteux et Paul Ragueneau.

Énemond Massé fait partie du premier départ de 1625, avec Charles Lalement et Jean de Brébeuf, mais lors de la prise du pays par les frères Kirke, quatre ans plus tard, tous les missionnaires doivent rentrer en France.

Il retourne d'abord à La Flèche, puis on le retrouve à Rouen en 1631 et à Pontoise l'année suivante.

Enfin en 1633, il revient en Nouvelle-France une troisième et dernière fois avec Jean de Brébeuf, à la suite de la remise de la colonie à la France par l'Angleterre, au traité de Saint-Germain-en-Laye.

Dès son arrivée à Québec, il est affecté à l'organisation de la mission, qu'il ne quittera guère. Surnommé le « père Utile » par son supérieur Paul Le Jeune, on le reconnaît comme étant « actif, industrieux et bon organisateur, et ses activités permettent aux autres une plus grande liberté dans leur travail ».

Il meurt à Sillery à l'âge de 72 ans, durant la nuit du 12 au 13 mai 1646, et est inhumé sous la chapelle récemment construite (note du père Jérôme Lalement dans le Journal des Jésuites lors de son premier supériorat, de 1646 à 1649).

1625

Charles Lalement

La famille Lalement fait partie de la magistrature parisienne.

Frère aîné du père Jérôme et oncle de Gabriel, Jésuite martyr, Charles Lalement naît à Paris le 17 novembre 1587, fait ses études au collège de La Flèche, entre au noviciat des Jésuites le 29 juillet 1607 et devient le premier supérieur des missions en Nouvelle-France.

Il est doué de grandes qualités administratives, et toute sa vie est marquée de responsabilités importantes dans la Compagnie de Jésus.

Il est déjà recteur au collège Clermont à Paris, lorsqu'en 1625, il est envoyé pour établir la première résidence jésuite à Québec, à la Pointe Jacques-Cartier, près de la rivière Saint-Charles.

Deux ans plus tard, le manque de vivres réduit la mission à la famine. La compagnie des Marchands, responsable de la colonie, refuse de l'alimenter, et il doit repasser en France pour chercher du secours.

Sur la route du retour, les vaisseaux sont pris par les Anglais, et le père Lalement, fait prisonnier avec quatre compagnons, est renvoyé en France.

Il reprend ses démarches et, le 29 juin 1629, s'embarque pour Québec, où il ne parviendra jamais.

De violentes tempêtes brisent des vaisseaux, et deux Jésuites périssent. Le père Lalement, recueilli par des pêcheurs basques, est ramené à San Sebastian.

Simultanément, la prise de possession du pays par les trois frères Kirke au bénéfice de l'Angleterre oblige tous les missionnaires, tant Récollets que Jésuites, à retourner dans leur pays.

Assigné comme supérieur au collège de Rouen en Normandie, le père Lalement retrouve Jean de Brébeuf, qui a repris son poste d'économe, ainsi que deux futurs missionnaires en Nouvelle-France, les pères Isaac Jogues et Simon LeMoyne.

Lors du retour du pays à la France en 1631, un peu de répit lui est ménagé, et on le revoit comme missionnaire à Québec de 1634 à 1638.

Dès son arrivée, et jusqu'à son décès le 25 décembre 1635, le nouveau gouverneur Samuel de Champlain le choisit comme confesseur, ce qui permet au père Lalement de présider son service funèbre.

Peu de temps après la réinstallation des Français à Québec, il avait été le premier Jésuite à soulever la question de l'organisation de l'Église canadienne. Le 2 novembre 1633, il écrivait :

> « *Avec le temps, il faudra un évêque au Canada, car, pour maintenant, ceux qui sont là ne dépendent d'aucun évêque* ».

Il est certain que, lors de leur engagement en terre de mission, leurs pouvoirs leur avaient été conférés par le souverain pontife (premier évêque de la chrétienté), mais jusque là, rien d'officiel n'avait encore été établi.

Rappelé définitivement à Paris, le père Lalement y est assigné comme procureur de la mission de la Nouvelle-France jusqu'en 1650.

En 1639, à la demande de Madame de la Peltrie, fondatrice « bailleuse de fonds » de la nouvelle communauté des Ursulines, il s'était occupé de tout l'aspect matériel de l'expédition et, avec les armateurs dieppois, avait fait affréter un troisième navire pour transporter le surplus de ses biens.

Finalement, en 1642, les annales signalent son rôle important de « conseiller » auprès de Jérôme Le Royer de la Dauversière, de Chomedey de Maisonneuve et de Jeanne Mance, dans l'établissement de Ville Marie (Montréal).

Enfin, après avoir été vice-provincial, puis supérieur de la maison professe, rue Saint-Antoine à Paris, il y mourra le 18 novembre 1674, à l'âge de 87 ans.

1626

Philibert Noyrot

Le père Noyrot est né dans le diocèse d'Anjou en 1592.

Il est le premier Jésuite à intéresser la Cour Royale aux missions du Nouveau Monde, en proposant au Duc de Ventadour (Henry de Lévis) de les soutenir.

Il occupe le poste de procureur au collège de Bourges lors du décès du confesseur de ce dernier, qu'il est appelé à remplacer, et va faire part de ses préoccupations à son pénitent.

Simultanément, les Récollets sollicitent de l'aide pour les missions qu'ils assument seuls depuis une dizaine d'année et dont les ressources restreintes en candidats et en moyens financiers limitent leurs capacités d'apostolat.

Il est présent lors de l'entrevue avec ces derniers, qui souhaitent intéresser la Compagnie de Jésus à partager la mission, en invitant le père Noyrot à en faire part à son père provincial.

La suggestion est acceptée et, en assumant la responsabilité des missions de la Nouvelle-France, le Duc de Ventadour en devient le vice-roi.

En avril 1625, il affrète un premier bateau et confie au confesseur et conseiller du roi, le père Pierre Coton, supérieur provincial de la Compagnie de Jésus en France, le soin de choisir les premiers partants. Avec deux frères coadjuteurs, Charles Lalement, Jean de Brébeuf et Énemond Massé seront du voyage.

L'année suivante, accompagné du père Anne de Noüe et du frère Gaufestre, le père Noyrot dirige une vingtaine d'ouvriers, laboureurs et charpentiers venus prêter main forte à la petite communauté qui, dès son arrivée, en septembre précédent, avait commencé la construction de son habitation.

Deux ans plus tard, la mission souffre de famine et le secours lui est refusé par les autorités locales. Avec son supérieur Charles Lalement, le père Noyrot passe en France pour solliciter l'aide auprès du roi.

Au retour, il voyage avec le frère Milot.

Leur vaisseau fait naufrage et les deux religieux sont emportés par les flots.

---

*Après avoir vendu sa charge à Richelieu en 1627, le vice-roi entrera dans les Ordres pour fonder la célèbre compagnie du Saint Sacrement, congrégation de laïcs et de prêtres dans un dessin de charité et pour réagir contre le libertinage ambiant ».

Anne De Nouë

Issu d'une noble famille de Reims en Champagne, le père Anne de Nouë avait été page, puis officier à la Chambre du roi, avant d'entrer chez les Jésuites à l'âge de 25 ans.

Le 6 juillet 1626, deux petits bateaux, mouillent dans le port de Québec, l'*Alouette* et le *Catherine*, dont l'un porte le supérieur des Récollets, le père Le Caron, qui accompagne Samuel de Champlain, le nouveau lieutenant-gouverneur venu prendre possession de Québec.

Quatorze jours plus tard, trois Jésuites débarquent à leur tour, dont Anne de Nouë, qui est immédiatement affecté à la Huronie, que Jean de Brébeuf tente de rejoindre pour la seconde fois.

Avec ce dernier, il devient ainsi l'un des premiers missionnaires de la Compagnie de Jésus à tenter cette fascinante aventure.

Champlain avait déjà noué des liens de commerce et d'amitié avec les Hurons, dans le but d'établir un poste français avancé dans leur pays pour un éventuel rayonnement entre Québec et leur région. Les Récollets, ayant fait le même projet sur le plan apostolique, en avaient informé les Jésuites.

Dès son arrivée l'année précédente, mis au courant d'une évangélisation possible auprès d'une nation relativement sédentaire et susceptible de répondre aux objectifs de la Compagnie, le père de Brébeuf avait vainement tenté de les rejoindre.

Cette fois, l'occasion lui est offerte. Les Hurons sont aux Trois-Rivières, venus échanger leur cargaison de pelleteries.

Il va à leur rencontre accompagné de Anne de Noüe et, après de laborieuses négociations, ce dernier est finalement accueilli dans un canot qui l'emporte, le 24 juillet 1627, vers la Huronie, qu'il atteindra une trentaine de jours plus tard. Jean de Brébeuf s'embarquera le lendemain.

Les objectifs de ce premier séjour en Huronie sont surtout orientés vers la connaissance de la tribu et l'apprentissage de la langue. Pour vivre une approche plus directe, le père de Brébeuf propose de partager leur cabane et, malgré une certaine appréhension, son compagnon accepte généreusement la suggestion.

Malheureusement, après un hiver passé dans des conditions quasi-inhumaines et dépassé par les exigences de la promiscuité du clan Huron, il retourne à Québec au printemps. Demeuré seul, le père de Brébeuf compte toutefois sur l'arrivée d'un compagnon à l'approche de l'automne.

Au retour, les trafiquants de fourrures reviennent furieux avec leur cargaison. Au cours de l'hiver précédent, la colonie avait souffert du manque de vivres, aucun navire n'était passé à Québec, et le bruit circulait que les Anglais avaient arraisonné les vaisseaux d'approvisionnement à Tadoussac.

De Brébeuf doit affronter la prochaine année dans la solitude et l'abandon, et sera rappelé au printemps suivant pour rentrer en France.

Le pays est pris par les trois frères Kirke, et tous les missionnaires sont tenus de retourner dans leur pays.

Anne de Nouë sera envoyé à Amiens.

Toutefois en 1631, lors de la reprise du pays, jugée illégale, les missionnaires peuvent se remobiliser et le père de Nouë revient à Québec avec le nouveau supérieur, Paul Le Jeune, pour réorganiser la mission.

N'ayant pas le don des langues et se sentant inapte aux travaux apostoliques, il s'offre pour les tâches les plus humbles et, comme il n'est nullement préparé au rôle d'ouvrier architecte, c'est son humilité qui lui tiendra lieu de talent.

Une dizaine d'années plus tard, affecté à la mission des Trois-Rivières, il accepte d'aller assurer son ministère auprès des Français installés au Fort Richelieu.

En janvier 1642, parti seul dans une mission de charité pour chercher du ravitaillement, il n'a pour se guider que la lune et les étoiles. Hélas, lorsqu'une tempête survient, il perd ses points de repères et s'égare dans la tourmente. Il est retrouvé gelé mort le 2 février suivant, face au fort Richelieu, à genou dans une attitude de prière. Il est ramené dans un traîneau sur les glaces du fleuve Saint-Laurent pour être enseveli aux Trois-Rivières.

Après une jeunesse passée à la Cour de France, Anne de Nouë aura été Jésuite durant trente-trois ans, dont seize au service de la Nouvelle-France.

1632

Paul Le Jeune

Le second supérieur des missions de la Nouvelle-France est né de parents calvinistes à Châlons-sur-Marne, en juillet 1591. Reconnaissant très tôt la supériorité de la religion catholique, après sa conversion à l'âge de seize ans, le 23 septembre 1613, il entre au noviciat des Jésuites à Rouen.

Sa feuille de route le conduit à La Flèche, où il complète ses études supérieures, puis à Rennes, Bourges, Paris, Nevers, Rouen, Caen et Dieppe, où il est prédicateur et supérieur de la résidence, rue Du Boeuf, face à la mer. C'est de là que, à l'âge de quarante ans, sans l'avoir jamais demandé, il est appelé à s'embarquer pour les missions du Nouveau Monde, et son rectorat durera jusqu'en 1639.

Cette nomination le comble de joie !

Dans sa première lettre à son père provincial, début des « Relations de la Nouvelle-France », qui seront publiées à Paris à compter de 1632 et qui demeurent une autorité en la matière, il souligne : « L'aise et le contentement que j'en ai ressentis en mon âme fut si grand, que de vingt ans, je ne pense pas en avoir eu de pareils ».

Ce premier courrier de Paul Le Jeune s'inscrit dans la pure tradition de la Compagnie de Jésus, instaurée par saint François-Xavier, apôtre de l'Orient à son supérieur saint Ignace de Loyola, et qui va se poursuivre en Nouvelle-France jusqu'en 1672.

Comme son compatriote Jean de Brébeuf, Paul Le Jeune est convaincu que l'évangélisation se transmet par l'exemple mais passe d'abord par la communication. Ainsi, à l'instar de ce dernier, qui avait suivi les Algonquins nomades pour se familiariser avec leur dialecte, leurs coutumes et leurs moeurs, lors de son arrivée en Nouvelle-France au cours de l'hiver 1633, Paul Le Jeune s'impose de le passer avec cette même tribu, avec qui il vivra une aventure humaine hors du commun.

Lors de son retour, au printemps suivant, leur langage lui sera suffisamment familier pour qu'il l'enseigne à ses compagnons.

Le père Le Jeune rédigera les « Relations de la Nouvelle-France » à dix reprises, de 1632 à 1641.

Dès 1635, il peut déjà informer son supérieur que la mission compte six résidences, dont celles de Sainte-Anne au Cap Breton, de Saint-Charles à Miskou en Acadie, de Notre-Dame de la Recouvrance à Québec, de Notre-Dame des Anges à une demi-lieue de la capitale, de la Conception aux Trois-Rivières et de Saint-Joseph à Ihonatiria en Huronie.

On peut présumer que les difficultés affrontés n'ont pas été sans l'inciter à tenter de fixer les autochtones plutôt que de les suivre dans leurs pérégrinations !

Dans l'objectif de les sédentariser, il est question d'en ajouter une septième avec la construction d'une résidence qui sera placée sous le vocable de Saint-Joseph.

L'aide pécuniaire d'un généreux donateur, Messire Noël Bruslard de Sillery, donnera à ce dernier de laisser son nom à la localité.

En 1637, l'habitation peut déjà recevoir ses deux premières familles algonquines converties (Appendice III « La Maison des Jésuites à Sillery »).

Il signale également la présence de quatorze pères et quatre frères Jésuites missionnaires installés dans ces résidences, à savoir : les pères Nicolas Adam, Charles Lalement, Jean de Brébeuf, Antoine Daniel, Ambroise Davost, Anne de Noüë, Énemond Massé, André Richard, François Le Mercier, Charles Turgis, Charles du Marché, Claude Quentin, Jacques Buteux, Jean de Quen, et les frères Gilbert Burel, Jean Liégeois, Pierre le Tellier et Pierre Féauté.

Trois ans plus tard, huit pères s'ajoutent à la mission canadienne, qui compte également deux frères de plus : les pères Pierre Pijeart, Paul Ragueneau, Pierre Chastelain, Charles Garnier, Isaac Jogues, Jérôme Lalement, Simon Le Jeune, François du Perron et les frères Ambroise Cauvert et Louis Gobert.

L'on se souvient que, dès l'installation de la Compagnie de Jésus en France, la mission des Jésuites, décrétée par leur père général et approuvée par le Parlement, spécifiait qu'ils devaient se consacrer à « la prédication du peuple et à l'éducation de la jeunesse ».

L'un des premiers soucis de Paul Le Jeune à son arrivée à Québec devient donc d'ouvrir une maison d'enseignement et d'en établir les objectifs :

1) Dresser un collège pour instruire les enfants des familles, qui se multiplient de plus en plus.

2) Établir un séminaire de petits sauvages pour les élever dans la foi chrétienne.

3) Secourir la mission de nos Pères en Huronie et les autres peuples sédentaires.

Il ajoutera :

« *Toutes choses ont leur commencement et les plus doctes ne connaissent pour le moment que les premiers éléments de l'alphabet* ».

Durant l'installation du collège Notre-Dame de la Recouvrance, et jusqu'en 1640, il sera assisté par le père Jean de Quen. L'année précédente, il avait été remplacé comme supérieur des missions par le père Barthélemy Vimont.

En 1641, le père Nicolas Adam retourne en France pour des raisons de santé, et le père Le Jeune l'accompagne.

Il va rendre compte de l'état de la mission canadienne aux autorités religieuses et civiles françaises, et reviendra au pays l'année suivante pour y passer sept ans.

Rentré définitivement en 1649, il devient procureur de la mission au Canada, puis prédicateur et directeur de conscience, et meurt à Paris en 1664, en laissant pour la postérité sa « Relation », qui demeure le plus important témoignage d'une partie de l'Histoire de la Nouvelle-France au XVIIe siècle.

On sait que, tout en citant le vécu de ses compagnons, il ne manquait pas d'insérer les avis et sentiments de certains d'entre eux, tirés de leurs lettres de l'année, qui révélaient déjà le caractère de ceux qui viendraient et que nous reconnaissons chez les missionnaires mentionnés. Entre autres, il écrivait :

« L'expérience nous fait voir que ceux de la Compagnie qui viennent en Nouvelle-France, il faut qu'ils y soient appelés par une vocation spéciale et bien forte; que ce soit des gens morts et à soi et au monde; hommes véritablement apostoliques et qui ne cherchent que Dieu et le salut des âmes; qui aiment d'amour la croix et la mortification; qui ne s'épargnent point; qui sachent supporter les travaux de la mer et de la terre et qui désirent plus la conversion d'un sauvage que l'empire de toute l'Europe...»

On peut se demander comment ils auraient pu survivre... s'il en avait été autrement !

Un autre apport important de Paul Le Jeune à la société québécoise demeure identifié aux fondations de nos grandes institutions !

De sa « Relation » de 1639, on retient cette page délicieuse :

« Quand on nous donna avis qu'une barque allait surgir à Québec, portant un collège de Jésuites, une maison d'Hospitalières et un couvent d'Ursulines, la première nouvelle nous sembla quasi un songe. »

À ses yeux, du *Saint-Joseph* débarquaient pour ainsi dire trois institutions majeures pour le développement de la colonie !

Déjà, dès 1633, avant Harvard aux États-Unis, il avait fondé le premier collège en Amérique du Nord pour l'instruction des garçons.

Et en 1639, grâce à ses interventions, six femmes avaient quitté leur cloître et leur pays pour venir établir un hôpital et une maison d'enseignement pour les filles.

Une première dans l'Église !

On dira de lui :

« *Ardent jusqu'à la passion, d'une fermeté confinant à la ténacité, il porte une volonté d'acier dans un cœur de feu.* »

Si, pour la postérité, Jean de Brébeuf a été perçu comme un missionnaire jésuite accompli en HURONIE, Paul Le Jeune remporte la palme du missionnaire jésuite accompli en NOUVELLE-FRANCE !

L'ÉGLISE DES JÉSUITES ET LEUR VIEUX COLLÈGE DE QUÉBEC
D'après une gravure de 1761

Le collège des Jésuites à Québec :

Construit face à la basilique sur l'emplacement actuel de la mairie de la Vieille capitale, la plaque commémorative du collège figure sur sa façade principale.

Fermé à l'enseignement en 1775 et saisi par la commission des biens des Jésuites lors du décès du dernier survivant d'entre eux, il sera utilisé comme caserne pour les besoins des occupants anglais et sera démoli en 1878. Mais le retour des pères de la compagnie de Jésus en 1842 va permettre sa survie et le nouveau collège des Jésuites ouvrira ses portes en 1930 sous le vocable de Saint-Charles-Garnier.

Un an plus tard, l'un de ses premiers professeurs, le père Jean Laramée, qui vient de décéder centenaire le 17 janvier 2006, offrira avec ses étudiants une pièce de théâtre intitulée « L'âme huronne », à la mémoire des martyrs canadiens canonisés l'année précédente.

Le collège Saint-Charles Garnier poursuit allègrement sa mission « d'éducation de la jeunesse », dont les origines remontent à son fondateur le père Paul Le Jeune.

1633

Ambroise Davost

Cette année 1633 voit l'arrivée de quatre nouveaux missionnaires.

Avec Ambroise Davost et Antoine Daniel, Énemond Massé en est à sa troisième traversée et Jean de Brébeuf à sa seconde.

Au mois de juillet de l'année précédente, les pères Ambroise et Antoine s'étaient embarqués à Dieppe sur un vaisseau commandé par Charles Daniel, frère de ce dernier, et les deux missionnaires avaient hiverné au Cap Breton.

Cette fois, le *Saint-Pierre*, battant pavillon du nouveau gouverneur Samuel de Champlain, avec à son bord Jean de Brébeuf et Énemond Massé, s'arrête au Fort Sainte-Anne, recueille les deux religieux et remonte jusqu'à Québec, où ils séjournent en attendant d'accompagner le père de Brébeuf en Huronie l'année suivante. En 1634, sur la route de la mission, il en faut de peu que le père Davost ne perde la vie, contraint de se défaire des bagages et des papiers destinés aux missionnaires. Il est finalement abandonné par ses canotiers à l'Île aux Allumettes.

Deux ans plus tard, affligé d'un scorbut qui le fait horriblement souffrir et incapable de supporter les rudes exigences du milieu, il revient à Québec au printemps.

Il arrive avec le père Daniel, qui conduit des jeunes Hurons, premiers élèves du séminaire autochtone fondé par le supérieur Paul Le Jeune lors de son arrivée en Nouvelle-France en 1633.

Sept ans plus tard, dans sa « Relation » de 1643 à son provincial à Paris, Barthélemy Vimont, témoigne de son retour en France.

> « *Le Père Davost souffrait du scorbut, maladie chronique dont il lui était impossible de se défaire et qui lui causait d'horribles souffrances. Il avait toujours été présent à Dieu, avec une patience de fer, ou plutôt, une patience d'or ou une patience de Job..., tant dans sa vie, dans sa maladie que dans mort* ».

Dix ans après son retour du séjour en Huronie, il était assigné à différentes tâches et ses limites en étaient au point où il devenait évident qu'il devait retourner dans son pays.

Hélas, il ne parviendra pas à destination.

Sur la route du retour, la rigueur de la fièvre, les incommodités du bateau et le défaut de chirurgien, de médecin et de remèdes le conduiront à l'extrémité, et sa dépouille sera jetée à la mer.

1634

Jacques Buteux

Le père Buteux est né à Abbeville en Picardie, en avril 1600. Entré dans la compagnie de Jésus le 2 octobre 1620, à la fin de ses études en théologie, en 1634, il est envoyé en Nouvelle-France et y passera dix-huit ans.

Fixé particulièrement aux Trois-Rivières, affecté au service des Montagnais et des Algonquins, il va partager son temps entre Sillery, Tadoussac et Montréal, et sera assisté par le père Raybault avant la domination de ce dernier en Huronie. Antérieurement, il séjourne à Sillery pour aider les pères Le Jeune et de Quen auprès des Algonquins, dans la maison des Jésuites récemment construite.

En 1652, de retour de mission, pris par les Iroquois dans une embuscade sur la rivière Saint-Maurice, il est tué par des balles qui l'atteignent à la poitrine et au bras.

Dépouillé de ses vêtements, son corps jeté dans la rivière ne sera pas retrouvé.

Un monument rappelle sa mémoire dans les jardins de la basilique Notre-Dame du Cap près des Trois-Rivières.

Québec 1635

1635

Jean de Quen

Né en Picardie en 1603, Jean de Quen est entré chez les Jésuites en 1620, à l'âge de 17 ans, et envoyé au Canada en 1635.

D'abord assigné à Québec, il collabore l'année suivante à l'instruction des petits Français à Notre-Dame de la Recouvrance, au collège fondé par le père Paul Le Jeune pour la formation des enfants du pays.

L'instruction offerte comprend « l'enseignement des humanités et des mathématiques, deux ans de philosophie et avec le latin et le grec, on s'applique à bien parler sa langue maternelle ».

Deux ans plus tard, avec le père Le Jeune, il accueille les deux premières familles algonquines converties dans « la maison des Jésuites » à Sillery.

Puis, de 1640 à 1654, le père de Quen partage son temps entre les différentes missions de Québec, de Sillery, de Trois-Rivières et du Lac Saint-Jean, où il devient le premier missionnaire jésuite à y parvenir.

Mais c'est surtout à Tadoussac, où il a installé la mission permanente et construit l'une des premières chapelles en Amérique du Nord, que sa présence continue d'être signalée.

En 1654, comme responsable de cette résidence, il reçoit Madeleine de la Peltrie (fondatrice financière des Ursulines de Québec), venue accueillir des missionnaires de France qui vont les épauler.

Depuis son arrivée en 1639 avec Marie de l'Incarnation, elle partageait la vie austère de la communauté et, se sentant de la race des coureurs des bois, rêvait de loger dans une hutte algonquine (petite cabane d'écorce).

Le missionnaire y pourvoira !

Lors de ses séjours à Québec, au cours des années 1641 à 1644, avec les pères Le Jeune et de Brébeuf, le père de Quen participe à la rédaction du règlement provisoire, qui va servir de base aux constitutions de cette communauté, qui seront finalisées quelques années plus tard par le père Jérôme Lalement.

En 1656, devenu supérieur des missions de la Nouvelle-France, il signe la lettre qui servira à la « Relation » de l'année.

C'est d'ailleurs à ce titre qu'il lui reviendra de célébrer la première messe dans la nouvelle chapelle des Hospitalières.

Malheureusement, c'est aussi à l'Hôtel-Dieu qu'il contractera une maladie infectieuse mortelle, transmise lors de l'arrivée des 1400 soldats du régiment de Carignan-Salières venus secourir la colonie en 1665. *

Il en mourra après 29 ans de vie missionnaire en Nouvelle-France. *

---

*Lors de l'arrivée des derniers bateaux à l'automne 1665, plus de 130 contagieux sont conduits à l'hôpital le même jour et accueillis par la jeune mère Catherine de Saint Augustin, hospitalière d'office.

François le Mercier

Débarqué à Québec le 20 juillet 1635, François le Mercier est un pionnier de la mission huronne, qu'il rejoint dès l'année suivante pour y demeurer jusqu'à sa fermeture.

Très doué pour les langues, il se voit aussitôt confier le poste d'Ossossané par Jean de Brébeuf et, avec les six missionnaires menacés de mort par les Hurons, signe la lettre d'adieu adressée au supérieur de Québec.

Puisqu'il est reconnu comme un administrateur hors pair, un esprit clair, précis et zélé, à l'arrivée du père Lalement, il se voit confier toute l'administration temporelle du Fort Sainte-Marie : assumer les néophytes de passage, diriger les « donnés » et les ouvriers français, veiller à l'extension des cultures. Durant quinze ans, il s'acquitte des diverses tâches qui lui sont confiées avec un rare bonheur.

On le retrouve à Québec au moment du grand exode de juin 1650 et, plutôt que de retourner en France, il choisit d'y demeurer.

Dès la fin de décembre, alors qu'il est sous la direction du gouverneur Louis d'Ailleboust, ses nombreuses habilités lui permettent d'assumer la responsabilité des travaux de reconstruction du monastère des Ursulines, détruit par un incendie.

Quatre ans plus tard, c'est auprès des Augustines que ses talents sont mis à contribution.

Lors de la construction de leur hôpital, la responsabilité en est donnée à la jeune mère Catherine de Saint-Augustin, hospitalière de 22 ans, qui bénéficie d'un expert conseil d'envergure.

L'année précédente, il était devenu recteur du collège de Québec alors qu'il assumait la responsabilité des missions de la Nouvelle-France, qui lui sera confiée à deux reprises, de 1653 à 1656, puis de 1665 à 1670, et les recensements des années 1666-1667 le signaleront comme supérieur.

Rentré en France, il est assigné à la mission de la Martinique, où il mourra le 16 octobre 1692, après 57 années de sa vie consacrées au labeur des Jésuites en Amérique.

Pierre Pijeart

Le père Pijeart avait fait la traversée dans le même convoi qui transportait François Le Mercier et Jean de Quen, et prit pied en Nouvelle-France le 20 juillet 1635.

Avec ce dernier, il est signalé l'année suivante en Huronie pour remplacer le père Davost et sera compagnon d'Isaac Jogues à la mission Saint-Joseph, lors de la grande menace huronne contre les missionnaires.

Dans la lettre d'adieu écrite à ce sujet par le père de Brébeuf au supérieur de Québec, Pierre Pijeart est également cité avec Isaac Jogues, François Le Mercier, Pierre Chastelain, Paul Ragueneau et Charles Garnier.

C'est avec ce dernier qu'il partage une seconde tentative d'évangélisation chez les Pétuns.

La première, conduite par Isaac Jogues s'était soldée par un échec et, comme celle-ci n'est pas plus fructueuse, le danger oblige les missionnaires d'abandonner. Mais il demeurera au service des Algonquins durant tout son séjour en Huronie.

Voyageur infatigable, au cours des étés 1637, 1638 et 1640, le père Pijeart s'impose les aller-retour à Québec pour le ravitaillement de la mission. Comme la plupart des missionnaires qui séjournent dans les résidences de Québec, de Sillery et de Notre-Dame des Anges, il devient un « habitué » du parloir des Ursulines, où les pères sédentaires assurent des conférences spirituelles et des prédications de retraites, ou traitent simplement des affaires courantes.

Revenu définitivement à Québec au printemps 1644, le père de Brébeuf profite de l'occasion pour solliciter son retour en Huronie, et le père Pijeart le remplace au service de ravitaillement de Sainte-Marie.

Le 23 août 1650, il sera du départ des trois premiers missionnaires à retourner en France lors de la fermeture de la mission et sera porteur de messages de Marie de l'Incarnation à son fils bénédictin, Dom Claude Martin.

Il mourra à Dieppe en 1676.

1636

Nicolas Adam

En 1636, Nicolas Adam n'est pas de la première jeunesse et, malgré ses 48 ans, il est nommé pour la Nouvelle-France et navigue avec le frère Ambroise Cauvert au départ du 8 avril, qui jettera l'ancre à Québec le 11 juin suivant, une quinzaine de jours avant l'arrivée de l'ensemble du convoi.

Sous l'autorité de Charles Lalement, les deux missionnaires sont logés à Notre-Dame des Anges de la Pointe Jacques Cartier, résidence mère de la mission, avec les pères Énemond Massé, Anne de Noüe, Antoine Daniel et Ambroise Davost, ainsi que les frères Gilbert Burel, Pierre le Tellier, Jean Liégeois, Pierre Féante et Louis Gobert.

Le père Adam supporte mal les incommodités de la traversée et, quelques jours après son arrivée, est saisi d'une paralysie des mains et des pieds, récidive d'une forte fièvre subie à bord du vaisseau.

Lorsqu'il lui est proposé de retourner en France avec les voiliers d'automne, il refuse, ayant fait son sacrifice à Dieu de Lui donner sa vie en Nouvelle-France.

Durant tout l'hiver, il est confiné au lit et tenu de recevoir la communion dans sa chambre.

Fervent de l'Eucharistie, il supplie le Seigneur de le secourir et offre une neuvaine de communions. Malgré sa grande faiblesse, il est autorisé à célébrer la messe à l'autel, avec l'assistance de ses compagnons.

À la suite de la neuvaine, la paralysie se résorbe doucement et durant cinq ans, il peut vaquer aux occupations qui lui sont confiées.

Toutefois, en 1641, compte tenu de son état de santé fragile, il est rapatrié par son père provincial et sera accompagné par deux compagnons, Paul Le Jeune, mandaté d'une mission d'un an en France par son remplaçant Barthélemy Vimont, ainsi que par le père Claude Quentin, procureur de la mission, retourné pour s'occuper des affaires de la Compagnie.

Paul Ragueneau

Né à Paris le 18 mars 1608, Paul Ragueneau sollicite son entrée dans la Compagnie de Jésus le 21 août 1626 et est nommé aux missions de la Nouvelle-France dix ans plus tard.

Au départ du 8 avril 1636, il navigue avec Pierre Chastelain, Charles Garnier et le frère Louis Gobert. Leur vaisseau touche terre le 28 juin, suivi de celui d'Isaac Jogues et de Charles du Marché le 2 juillet suivant.

Envoyé en Huronie en 1637, il y passe quatre ans et revient à Québec pour être affecté au ravitaillement de la mission huronne avant d'y retourner, lorsque Jean de Brébeuf doit se faire soigner à Québec et le remplacera à l'Économat.

Paul Ragueneau y devient supérieur à compter de 1644, et le sera au moment des martyres d'Antoine Daniel en 1648, puis de Jean de Brébeuf, de Gabriel Lalement, de Charles Garnier et de Noël Chabanel l'année suivante. En 1650, c'est à lui que reviendra la décision de fermer Sainte-Marie-des-Hurons, qui sera incendiée, et de rapatrier les soixante Français résidents et les quatre cents quarante Hurons qui ont choisi de suivre les missionnaires à Québec.

Dans son canot, il rapporte les ossements de trois des martyrs, Jean de Brébeuf, Gabriel Lalement et Charles Garnier; ceux d'Antoine Daniel et de Noël Chabanel n'ayant pas été retrouvés.

Nommé responsable des missions en Nouvelle-France en 1651, il va assumer la direction spirituelle de la jeune Catherine de Saint-Augustin durant douze ans.

Fin psychologue, formé au début de sa vie religieuse par le père Louis Lalement, grand spirituel de la Compagnie, le père Ragueneau jouit d'une solide réputation de directeur des âmes, surtout de celles conduites par des voies extraordinaires.

Marie de l'Incarnation a écrit à son fils, Dom Claude Martin : « *C'était un des plus zélés missionnaires et un grand personnage du Nouveau Monde, mais je l'estime plus pour sa sainteté que par ses talents naturels* ».

Et Mgr de Laval a dit de lui : « *qu'il était un des plus grands génies et un des plus saints qu'il eut jamais connus* ».

Le 12 août 1662, Paul Ragueneau est contraint de rentrer en France pour assister le Prélat, qui sollicite la protection de la Cour. Un trafic malsain d'une partie de la population encourage les Indiens à la surconsommation d'eau-de-vie et menace la sécurité de la colonie. L'évêque s'oblige à recourir personnellement auprès du roi et s'adjoint le père Ragueneau, ancien professeur du Conseiller Royal, le prince de Condé, qui pourrait lui être d'un précieux secours. Le missionnaire ne reviendra pas au pays. Mais à la requête de Mgr de Laval, il deviendra le biographe de sa dirigée, décédée à Québec le 8 mai 1668, et publiera à Paris en 1671 :

« La Vie de la Mère Catherine
de Saint-Augustin »*

C'est à la suite d'une attaque d'apoplexie, dont il est pris dans son confessionnal, que le père Ragueneau s'éteint à Paris, le 3 octobre 1680, après deux jours d'agonie.

---

*Cette publication deviendra le principal témoin des vertus et de la vie sainte de la jeune religieuse, qui sera béatifiée à Rome le 23 avril 1989 par le Pape Jean-Paul II.

Pierre Chastelain

Né à Senlis dans l'Oise en 1606, Pierre Chastelain entre chez les Jésuites en 1624, en même temps que Charles Garnier.

Ensemble, ils font leurs études au collège Clermont à Paris, complètent leur théologie avec Isaac Jogues et sont tous les trois nommés pour les missions canadiennes.

Au départ de juin 1636, Paul Ragueneau, Pierre Chastelain et Charles Garnier, ainsi que Louis Gaubert, frère coadjuteur, naviguent sur le même vaisseau, alors que Charles du Marché et Isaac Jogue voyagent sur un autre navire.

Comme les missionnaires quittent le pays au port de Dieppe, Madame la Duchesse d'Aiguillion, nièce de Richelieu, qui projette la fondation d'un Hôtel-Dieu en Nouvelle-France, avec des lettres de recommandation, mandate le père Chastelain de sensibiliser la communauté locale des Augustines Hospitalières à son projet de fondation d'un hôpital à Québec, en lui cédant trois religieuses de sa maison.

Dès leur arrivée à Québec, le 28 juin, toujours ensemble, les pères Chastelain et Garnier sont nommés pour la Huronie, qu'ils rejoignent 12 août suivant pour y demeurer jusqu'à la fin. Le premier y trouvera le martyre en décembre 1649 et l'autre quittera la mission lors de sa fermeture l'année suivante.

Quant au père Jogues, nommé également, il les retrouvera le 11 septembre suivant pour y passer six ans.

Pierre Chastelain est aussitôt affecté à différents postes et, en 1640, reconnu comme un « directeur d'âmes privilégié », devient le père spirituel de la mission.

Alors qu'il est seul à la résidence principale en l'absence de ses compagnons qui missionnent en région ; éloignée, il est responsable de la direction des missionnaires et des domestiques et rédige au cours des longs hivers de 1640 à 1646, un traité de spiritualité l'« *Affectus amandis Jesum Christum* », qui lui sert dans ses enseignements auprès d'eux.*

Puis, de retour à Québec, on lui confie la responsabilité des Hospitalières de l'Hôtel-Dieu, qu'il assume durant une trentaine d'années. C'est auprès de la jeune mystique Catherine de Saint-Augustin qu'il porte surtout son attention lors du départ en France de Paul Ragueneau, qui l'avait dirigée durant onze ans avant de la lui confier.

* *Affectus amantis Jesum Christum*
Série de médiatations sur la vie de Notre-Seigneur, réparties suivant les sept jours de la semaine :

Le dimanche traite de la gloire du Christ.

Le lundi, de l'incarnation.

Le mardi, de la vie cachée.

Le mercredi, de la vie publique.

Le jeudi, de l'eucharistie.

Le vendredi, de la passion.

Le samedi, de la résurrection.

Chacune de ces parties est elle-même divisée en une série de chapitres, de nombre et de longueur très variables et dont le texte est tissé de citations bibliques très libres, interprétées, à la manière des Pères de l'Église, dans les sens les plus divers.

Compagnon missionnaire de Jean de Brébeuf en Huronie, « très uni à Dieu par l'oraison et favorisé de communications surnaturelles », il est pleinement en mesure d'assumer la conduite intérieure de la jeune mystique.

Ses responsabilités de prédicateur et de confesseur, conservées toute sa vie, lui donneront également l'occasion de s'entretenir avec la fondatrice des Uusulines, Marie de l'Incarnation.

Pour suppléer au père Jérôme Lalement, il deviendra « confesseur extraordinaire » de sa communauté, au temps liturgique des « Quatre Temps », à compter de l'année 1640.

Signalé dans le recensement de 1681, le père Chastelain s'éteindra à Québec trois ans plus tard, à l'âge de 74 ans, dont 48 passés comme missionnaire jésuite au Canada.

1638

Jérôme Lalement

Issu d'une famille liée à la magistrature, frère cadet du père Charles (1625) et oncle du martyr Gabriel (1649), Jérôme Lalement naît à Paris le 27 avril 1593 et entre au noviciat Saint-Germain des Jésuites le 20 octobre 1610.

Après ses études de philosophie à Pont-à-Mousson et sa théologie au collège Clermont à Paris, il est envoyé en Nouvelle-France et aussitôt assigné en Huronie comme supérieur pour remplacer Jean de Brébeuf, qui a assumé la mission durant cinq ans.

Son rectorat est marqué de trois projets qu'il réalise :

1   Doter la Compagnie d'auxiliaires laïcs pour assister les missionnaires dans leur travail apostolique. Séduit par cette idée, le Provincial de France l'a approuvée et dirigé vers les pères Le Jeune et de Brébeuf.

2   Sous la responsabilité de ce dernier et avec le concours des dix missionnaires présents, par un recensement complet de la population huronne, sont dénombrés 32 villages, répartis en 5 centres comprenant environ 700 cabanes, 2000 feux et 12 000 âmes.

3   Enfin, avec l'assistance de François le Mercier, il crée une résidence centrale permanente pour le repos et le resourcement des missionnaires, qui deviendra Sainte-Marie-des-Hurons.

Puis, durant douze ans il assume le supériorat des missions de la Nouvelle- France à Québec et rédige les Constitutions de la communauté des Ursulines avec sa fondatrice, Marie de l'Incarnation, dont il est devenu le directeur spirituel, en 1645, pour le demeurer jusqu'à sa mort en 1672.

Passé en France en 1650 pour exercer la charge de recteur du collège de La Flèche en 1653, il revient au pays et assume de nouveau la responsabilité de supérieur de la mission canadienne de 1661 à 1665.

Enfin, aux recensements de 1666 et de 1667, il est signalé comme membre de la Compagnie de Jésus au collège de Québec, où il mourra le 26 janvier 1673 à l'âge de 80 ans.

Simon Le Moyne

Né à Beauvais en 1604, Simon Le Moyne fait son noviciat à Rouen en 1632 et passe au Canada en 1638 avec François du Perron. Durant 3 ans, il est affecté chez les Hospitalières à Sillery avant de rejoindre la Huronie.

Puis, à compter de 1641, il assiste Antoine Daniel dans sa mission de Saint-Jean-Baptiste, mais la pénurie d'apôtres les oblige à couvrir également la mission Saint-Joseph, fort éloignée de l'autre, territoire qui demanderait la présence de huit missionnaires.

L'année suivante, la mission Saint-Joseph est confiée à Charles Garnier, qui le garde comme adjoint.

En 1649, le martyre de ce dernier et des quatre autres compagnons provoque la fermeture de la mission huronne l'année suivante. On le retrouve auprès de la nation Iroquoise, quand il est envoyé comme ambassadeur au cours des années 1654 et 1655 et 1658, où il donne la mesure de ses talents.

En 1661, lorsqu'il repartira au pays des Cinq Nations (aussi connues comme les cinq cantons Iroquois), ce sera pour y poursuivre une carrière apostolique.

* Les Cinq Cantons Iroquois s'alignaient de l'est à l'ouest, au sud du lac Ontario, dans l'ordre suivant : les Agniers (en anglais: Mohawks) les Onneyouts, (Oneidas), les Goyogouins (Cayugas), les Onnontagués (Onondagas) et les Tsonnontouans (les Senecas).

François du Perron

François du Perron est de la même traversée que Simon Le Moyne et assigné à la Huronie également.

Pour lui, c'est avec Antoine Daniel, Charles Garnier, Pierre Chastelain et Joseph Le Mercier qu'il fait ses premières armes à Ossossané.

La fin de mai 1641 le revoit à Sillery avec le père de Brébeuf, venu faire soigner sa fracture de la clavicule, survenue durant sa mission chez les Neutres la saison précédente.

En 1647, le père du Perron est en Huronie et cité dans la liste relevée par le père Martin dans les « Archives de Rome » et publiée à Paris en 1898 dans « Hurons et Iroquois ».

Enfin, lors de la fermeture de la mission, en juin 1650, il revient à Québec et est du premier départ à quitter la Nouvelle-France le 23 août suivant, avec Pierre Pijeart et Adrien Le Greslon.

Charles Raybault

Charles Raybault fait la traversée de 1638 avec Simon Le Moyne et François du Perron.

Deux ans plus tard, il est signalé aux Trois-Rivières, où il missionne avec Jacques Buteux chez les Algonquins. Ayant ensuite rejoint la Huronie, il partage d'abord le labeur avec Claude Pijeart, puis devient l'assistant d'Isaac Jogues.

Atteint d'une maladie lente (tuberculose?), accompagné de ce dernier venu chercher les provisions annuelles pour la mission, il rentre à Québec le 22 octobre 1642, émacié et quasi-mourant, et décédera le 1er décembre suivant, pour être enseveli sous la chapelle Notre-Dame de la Recouvrance près de la dépouille de Samuel de Champlain, qui l'avait précédé à Noël 1635.

Lors des fouilles entreprises pour retrouver le tombeau du fondateur de Québec il y a quelques années, c'est la dépouille d'un Jésuite qui fut découverte. Pourrait-on penser que ce pouvait être celle du père Raybault ?

1939

Barthélemy Vimont

C'est à Lisieux que, le 17 janvier 1594, est né Barthélemy Vimont. En 1613, il entre à Rouen, au noviciat de la Compagnie de Jésus, récemment ouvert pour la formation des futurs candidats aux missions lointaines.

Il est du convoi du père Charles Lalement en 1628, lors du naufrage sur les côtes du Cap Breton.

Rapatrié en France, à compter de 1630, il séjourne à Vannes durant cinq ans au collège Saint-Yves, avant d'en devenir le recteur, de 1635 à 1638, puis est envoyé à la résidence de Dieppe, d'où il s'embarque pour le Nouveau Monde en 1639.

Très impliqué dans l'évolution de la Nouvelle-France, tant à Québec qu'à Ville Marie, il laisse surtout le souvenir de ses interventions dans l'établissement des communautés religieuses féminines.

Il va s'intéresser particulièrement au recrutement de la future communauté des Ursulines, que Marie de l'Incarnation de Tours va fonder, bien qu'en raison de ses constitutions, il lui aurait préféré celles de Paris.

Le 4 mai, le père Vimont quitte le port de Dieppe avec quelques compagnons Jésuites, les pères Antoine Poncet, Pierre-Joseph-Marie Chaumonot, Charles Lalement et d'autres, qui s'embarquent sur différents navires.

Il conduit les premières femmes missionnaires de la chrétienté en Nouvelle-France, trois Augustines Hospitalières de Dieppe, qui vont fonder un Hôtel-Dieu à Québec, et deux Ursulines de Tours et de Dieppe, qui vont ouvrir une maison d'éducation pour les filles autochtones.

Venu remplacer Paul Le Jeune comme supérieur des missions de la Nouvelle-France, c'est en cette qualité que, en 1642, il accompagne à Ville Marie les fondateurs de Montréal, Paul Chomedey de Maisonneuve et Jeanne Mance, où il célèbre la première messe.

Cinq ans plus tard, lorsque le père Jérôme Lalement le remplace comme supérieur, Barthélemy Vimont passe en France pour rendre compte des affaires de la mission canadienne.

À la demande de la communauté de l'Hôtel-Dieu de Québec, il se fait recruteur en leur faveur auprès des Augustines Hospitalières de Dieppe, de Vannes et de Bayeux.

L'année suivante, il quitte le port de La Rochelle avec trois d'entre elles, dont une de Dieppe, une autre de Vannes et la jeune Catherine de Saint-Augustin, de la maison de Bayeux, âgée de 16 ans à peine et de qui il recevra les voeux solennels à Nantes le 4 mai 1648, sur la route du Nouveau Monde, en l'église Notre-Dame de toute Joye.

Quant aux Ursulines, bien que Marie de l'Incarnation en soit l'instigatrice, comme deux communautés s'en partagent la fondation, celle de Tours et l'autre de Paris, il est impérieux de bien en établir les règles.

C'est à titre de supérieur des missions et avec les conseils des pères Jean de Brébeuf, Paul Le Jeune et Jean de Quen qu'il est incité à se pencher sur le règlement provisoire des constitutions de la jeune communauté des Ursulines.

Barthélemy Vimont séjourne à Québec d'où il rentre définitivement en France, le 22 octobre 1659.

Il s'éteindra à Vannes le 13 juillet 1667 à l'âge de 73 ans, dont 54 passés dans la Compagnie de Jésus.

Pierre-Joseph-Marie Chaumonot

Né à Châtillon-sur-Seine en 1611, il vit une existence vagabonde, agrémentée d'aventures plus cocasses les unes que les autres, qui le conduisent dans la ville Éternelle, où il est admis chez les Jésuites en 1632, pour être envoyé à Florence faire son noviciat après quelques mois.

Professeur à Fermo, non loin de Lorette, il fait la connaissance d'Antoine Poncet de la Rivière, originaire de la Beauce en France, qui poursuit ses études à Rome et qui l'informe des missions de la Nouvelle-France, qu'il songe lui-même à rejoindre.

Après deux années d'enseignement, on lui laisse un an pour répéter sa philosophie, et il demande à son tour la mission du Canada, qui lui est facilement accordée.

Ordonné prêtre le 19 mars 1638 sans avoir fait beaucoup de théologie, Pierre-Joseph-Marie Chaumonot s'embarque à Dieppe, le 4 mai 1639, avec Antoine Poncet.

Une importante flotte de navires traverse l'Atlantique.

Dans le convoi, Barthélemy Vimont et d'autres compagnons Jésuites accompagnent les six premières femmes missionnaires de la chrétienté, qui partent fonder un hôpital et une maison d'éducation pour les filles autochtones.

Le 1er août, il est à Québec et rejoint immédiatement le pays des Hurons, qu'il atteint le 10 septembre suivant. Il est donné comme compagnon au père Ragueneau, qui sera bientôt supérieur, puis au père Daniel, futur martyr et enfin, au père de Brébeuf, avec lequel il ira chez les Neutres avant de le ramener péniblement à Sainte-Marie au printemps 1641, affligé d'une fracture à la clavicule survenue dans les ravins glacés des pistes effacées de la route de retour.

Au début de l'automne 1648, c'est Gabriel Lalement qui lui est confié comme assistant à Ossossané.

Bien qu'au pays depuis deux ans, ce dernier, de par sa complexion fragile, avait retenu son oncle, le père Jérôme, alors supérieur, qui ne voulait l'exposer trop tôt aux exigences et rigueurs de la vie en Huronie. Le père Jérôme l'avait donc affecté à des ministères à Québec, aux Trois-Rivières et à Sillery. On connaît déjà le destin tragique qu'il partagera avec le père de Brébeuf, le 17 mars suivant.

Le père Chaumonot est particulièrement doué pour les langues, tout comme Jean de Brébeuf et Antoine Daniel, et son apprentissage du dialecte huron lui sera donné par ces derniers. Il en arrivera même à les dépasser.

Cette connaissance ne peut être étrangère à la responsabilité qui lui sera confiée lors de l'exode de 1650, de conduire quelques 440 d'entre eux à Québec et de les installer à l'Île d'Orléans.

Le père Chaumonot sera l'apôtre des Hurons jusqu'à la fin de sa vie et les accompagnera dans tous leurs déplacements. De la Huronie, il les suivra à Québec, puis à l'Île d'Orléans, à Québec, à Beauport, à Notre-Dame-de-Foy et enfin à Notre-Dame-de-Lorette, jusqu'en 1691.

Il ne les quittera que pour trois missions : aux Iroquois, à Montréal et au Fort Richelieu.

Obédiences du Père Chaumonot de 1655 à 1666.

1655-1658 :

Une délégation iroquoise d'Onnontagué s'était présentée à Québec pour obtenir des Jésuites missionnaires auprès de leur nation. Avec le père Dablon, le père Chaumonot leur sera envoyé comme ambassadeur. Le considérant comme l'émule de Jean de Brébeuf, les Hurons lui donneront le nom d'« Echon », qu'ils avaient accordé au grand martyr et qui signifie « arbre aux propriétés médicinales ». Mais la menace iroquoise demeure et les annales signalent qu'elle va l'obliger à les regrouper à Québec pour ensuite les fixer dans la bourgade de Lorette, à quelques lieues au nord ouest de la capitale, où il les dotera d'une chapelle identique à celle qu'il avait connue en Italie.

1662-1663 :

Depuis 1657, les pères jésuites ne desservent plus la colonie de Ville Marie, qui souffre autant d'un « manque » spirituel que matériel. En juin 1662, sur recommandation de Mgr de Laval et du gouverneur d'Avaugour, des vivres lui sont acheminées par l'entremise du père Chaumenot, qui durant un an, va desservir le curé, M. Gabriel Souart, en qualité de vicaire.

C'est alors que, le 31 juillet 1663, en la fête de saint Ignace, avec les notables du lieu et la collaboration de Madame Barbe de Boulongne, veuve du gouverneur Louis d'Ailleboust, le père Chaumonot établit la Confrérie de la Sainte Famille, qui sera reprise à Québec par Mgr de Laval et qui demeure toujours active dans la basilique Notre-Dame de Québec.

1665-1668 :

Lors de l'arrivée des troupes du régiment Tracy Carignan-Salières, venues pour stabiliser la colonie, c'est à titre d'aumônier que le père Chaumonot accompagnera quatre compagnies mandatées pour construire le Fort Richelieu, à cet endroit même de la ville de Sorel où le père Anne de Noüe avait assuré son ministère aux Français avant de mourir tragiquement, le 2 février 1642 sur le fleuve Saint-Laurent.

Au recensement de 1681, le père Chaumonot, âgé de 68 ans, est toujours supérieur et administrateur de la mission Notre-Dame de Lorette et le sera jusqu'en 1691.

Devenu incapable de l'assumer, à l'automne 1692, il retourne au collège de Québec et est signalé dans la liste du personnel comme « infirme et vieillard ». Il y consacre sa solitude à prier pour ses compagnons.

Il mourra à Québec le 21 février 1693 à l'âge de 82 ans, dont 61 passés depuis son entrée dans la Compagnie de Jésus et 54 de vie apostolique en Nouvelle-France.

*L'autobiographie du Père révèle l'un des plus saints missionnaires qu'ait connus la Nouvelle-France. La publication du Père René Latourelle, s.j., parue en juin 1998, met en lumière un de ces grands Jésuites du XVII siècle en Nouvelle-France qui, bien que martyr, n'a pas été martyr canadien, ayant manqué de peu aux coups de hache qui l'auraient immortalisé !

Antoine Poncet de la Rivière

Originaire de Brétigny, petit bourg de la Beauce, à proximité de Chartres où son père Jean Poncet de la Rivière est premier magistrat et membre de la Compagnie des Cent Associés*, Antoine naît à Paris le 7 mai 1610 et entre au noviciat des Jésuites le 30 juillet 1629.

Simple scolastique, il enseigne les humanités au jeune Claude Martin de 1631 à 1634, au collège d'Orléans, où il fait la connaissance de sa mère, Marie de l'Incarnation. Il entreprend ses études de théologie au collège Clermont à Paris et les achève trois ans plus tard à Rome, où il complète son « troisième an ». Il y rencontre Pierre-Joseph-Marie Chaumonot et permet ainsi le recrutement d'un nouveau missionnaire pour le Nouveau Monde.

En 1639, avec Barthélemy Vimont, Charles Lalement et d'autres, les deux religieux sont de la traversée des « premières missionnaires de la chrétienté », dont Marie de l'Incarnation, avec qui le père Poncet va poursuivre des relations épistolières jusqu'à la fin de sa vie.

Dès l'automne, on le retrouve en Huronie lors du rectorat du père Jérôme Lalement, puis à Québec en 1654. Apparenté à la famille, c'est à lui qu'il revient d'informer la soeur de Gabriel, supérieure au Carmel de Paris, du destin tragique de son jeune frère.

En 1654, le père Poncet est à Québec et part en France en 1657 pour rejoindre la mission de la Martinique, où il mourra le 8 juin 1675.

* Compagnie de la Nouvelle-France fondée en 1627 par Richelieu pour développer la nouvelle colonie.

1640

René Ménard

Né en 1605, le père Ménard entre au noviciat Saint-Germain des Jésuites à Paris en 1624, avec Pierre Chastelain et Charles Garnier, qui le précéderont en Nouvelle-France en 1636.

Au départ de Dieppe en 1640, sur des bateaux frétés par les Cent Associés, il accompagne deux Augustines Hospitalières, qui partent en renfort de celles passées l'année précédente, et deux Ursulines provenant du grand Couvent du Faubourg Saint-Jacques de Paris.

Ayant pris la mer le 28 avril, les missionnaires sont à Québec le 8 juillet, après une traversée relativement calme, malgré un temps affreux de « pluie - neige - vents - tempête », qui les a retenus en rade durant cinq semaines dans l'angoisse de perdre la vie, après qu'aient péri trois navires proches de celui qui les portait.

Lorsqu'ils touchent terre à Tadoussac, le 30 juin suivant, ils sont accueillis par le gouverneur Montmagny et le père Vimont, supérieur de la mission.

Avec quelques petites séminaristes indiennes vêtues à l'européenne par ses soins, Madame de la Peltrie, fondatrice financière de la communauté des Ursulines de Québec, les accompagne et, par les bons services du père de Quen, missionnaire d'office, aura le plaisir de réaliser son rêve de « dormir » dans une hutte algonquine !

Au cours des trois premières années, René Ménard est affecté au service des Français à Québec et des Autochtones à Sillery, où il assure le service spirituel aux Augustines Hospitalières.

Puis, deux ans plus tard, on le revoit à la mission Saint-Joseph en Huronie, où il remplace Simon Le Moyne auprès de Charles Garnier.

Il rejoindra ensuite la région du nord-ouest où, durant vingt ans d'apostolat, il est cité comme le plus actif des missionnaires et vivra dans des conditions extrêmement difficiles.

Après avoir fondé la première mission sur la rive occidentale du lac Supérieur, le 15 août 1661, sa fin sera assez mystérieuse lorsqu'il disparaîtra dans les forêts du Wisconsin, égaré sans doute ou assassiné par quelque renégat.

Joseph Imbert Du Perron

Né à Lyon le 6 février 1609, le père Du Perron entre au noviciat des Jésuites à Avignon le 7 septembre 1628.

Douze ans plus tard, il est nommé pour la Nouvelle-France et traverse l'Atlantique au départ de Dieppe de 1640, avec René Ménard, qui conduit des Ursulines venues épauler leurs compatriotes arrivées l'année précédente.

Au cours de l'hiver 1641, Joseph Imbert Du Perron est signalé à Sillery avec Jean de Quen et Jean de Brébeuf, venu se faire soigner.

L'hôpital des Augustines étant installé à proximité de la résidence des missionnaires, ces derniers leur assurent des services spirituels.

Ils fréquentent aussi l'accueillante villa de M. de Puisseaux, gentilhomme fortuné où hivernent Chomedey de Maisonneuve et Jeanne Mance, arrivés l'automne précédent pour fonder Ville Marie.

Si trouve également Madeleine de la Peltrie, qui a rencontré une amie séculière qui la change de la vie claustrale des Ursulines.

Cette amitié l'incite d'ailleurs à quitter Marie de l'Incarnation avec « armes et bagages » pour suivre les « montréalistes » et rêver ni plus ni moins de poursuivre son aventure jusqu'en Huronie. Mais heureusement pour tous, elle reviendra dans son monastère de Québec, lorsque ses grands engouements pour la vie missionnaire seront passés.

Lors de la fondation de Ville Marie, le 17 mai 1642, la première messe est célébrée par le supérieur des missions, Barthélemy Vimont, et suivie de jours festifs qui vont malheureusement assombrir les derniers jours de l'année.

En fin de décembre, un redoux important provoque une fonte des neiges impressionnante qui gonfle la rivière et menace d'inonder la jeune colonie.

Pour conjurer le danger, c'est à la suggestion du père Du Perron, présent à Ville Marie à ce moment avec le père Poncet, que revient l'initiative de l'installation de la croix du Mont-Royal.

La croix est d'abord fixée à proximité du débordement des eaux, là où le père Du Perron avait célébré la messe et, peu de temps après, les eaux s'étant résorbées, Montréal est sauvée!

Devenue un symbole important de la Métropole canadienne, en Action de Grâce, la croix est portée au sommet du Mont-Royal par M. de Maisonneuve le 6 janvier 1643.

Six ans plus tard, missionnaire à Québec, le père Du Perron baptisera la petite Marie Morin, qui deviendra la première historienne canadienne de Ville Marie.

Enfin, le 6 septembre 1658, il quittera la Nouvelle-France pour retourner dans sa province natale.

1642

Joseph Bressani

Né à Rome en 1612, Joseph Bressani entre à l'âge de 14 ans chez les Jésuites, où il complète ses études philosophiques, de 1628 à 1630, et sa théologie à Rome et à Paris, de 1636 à 1638. Ayant sollicité très tôt d'être envoyé aux missions de la Nouvelle-France, c'est à l'âge de 30 ans qu'il arrive à Québec, à la fin de juillet 1642.

Après un an passé à Québec, puis un autre aux Trois-Rivières, il s'embarque pour la Huronie le 27 avril 1644 et est intercepté trois jours plus tard par les Iroquois au Fort Richelieu.

Conduit en captivité en Iroquoisie, il est affreusement torturé et laissé pour loque, avant d'être racheté par les Hollandais de New Amsterdam, le 19 août suivant, et ramené en France au port de La Rochelle, deux mois et demi plus tard. Il séjourne à Paris, où il fait profession le 1er janvier 1645 et, après une convalescence de quelques mois, est suffisamment rétabli pour pouvoir revenir aux Trois-Rivières, en juillet suivant.

Il reprend aussitôt la route de la Huronie et, au cours de septembre, à la stupéfaction de tous, il débarque à Sainte-Marie-des-Hurons, où on ignorait ce qu'il était advenu de lui depuis sa capture.

Reçu en héros, il est perçu comme le plus éclatant symbole de la générosité et de la foi !

Le nouveau supérieur, Paul Ragueneau témoigne :

« Il a pu même se mettre aussitôt à l'oeuvre et avec fruit. Ses mains mutilées, ses doigts coupés, son corps couvert de cicatrices l'ont rendu, dès son arrivée, meilleur prédicateur que nous le sommes et ont servi plus que nos instructions à faire comprendre à nos Hurons les vérités de la foi ».

Le père de Brébeuf contemple les cicatrices sur tout son corps, le vénère comme on vénère un martyr et supplie Dieu d'être choisi pour souffrir ainsi jusqu'à la mort.

De son côté, lors de son arrivée à la mission, le père Bressani rend compte du travail accompli :

« La Foi avait déjà pris possession de presque tout le pays. Les Chefs eux-mêmes en étaient les protecteurs et les fils. Les rites superstitieux commençaient à perdre leur crédit. Les persécutions avaient cessé. Les malédictions contre la Foi étaient devenues des bénédictions. Je pourrais presque dire que la population était mûre pour le Ciel »

Voyageur intrépide, il se rend à Québec tous les étés pour le ravitaillement de la mission.

Lors de sa fermeture, après être définitivement revenu le 28 juillet 1650 avec le père Jérôme Lalement, qui part à Paris pour devenir supérieur du collège de La Flèche, et les « donnés » Joseph Molère et Christophe Régnaut, il s'embarque à son tour le 2 novembre suivant.

François Bressani n'a que 38 ans. De retour en Italie, son pays natal, il rédige sa « Relation » en 1653 et poursuit une longue carrière de prédicateur réputé jusqu'à sa mort, à Florence, le 9 septembre 1672, à l'âge de 60 ans.

RELATION ABRÉGÉE

DE

QUELQUES MISSIONS

DES

Pères de la Comp.ᵉ de Jésus

DANS LA NOUVELLE FRANCE,

PAR LE

P. F. J. BRESSANI,

DE LA MÊME COMPAGNIE,

DÉDIÉE À

L'E.E. ET R.R. SEIGNEUR

CARDINAL DE LUCO

IHS

A. MACÉRATA

1653.

J. WALKER Sc.

1643

Martin De Lyonnes

Le 8 mars 1643, avec deux Hospitalières de Dieppe et une Ursuline de Ploermel en Bretagne, les pères Gabriel Druillettes, Claude Quentin, Noël Chabanel, Léopold Garreau et Martin de Lyonnes traversent l'Atlantique à partir du port de La Rochelle.

Le convoi porte également M. Louis d'Ailleboust, gentilhomme de la Compagnie de Montréal qui va épauler Chomedey de Maisonneuve aux travaux de construction du Fort à la Pointe à Callière, accompagné de sa belle-soeur, Philippe Gertrude, et de son épouse, Barbe de Boulongne, qui deviendra la collaboratrice de Jeanne Mance à l'Hôtel-Dieu, puis celle du père Chaumonot dans l'installation de la Confrérie de la Sainte Famille à Ville Marie.

Devenue bienfaitrice de l'Hôtel-Dieu de Québec, où elle se retirera à la fin de sa vie, Barbe de Boulongne assiste la mère Catherine de Saint-Augustin comme aide-soignante, lors de la réception des 130 premiers contagieux du régiment Tracy-Carignan-Salières, à l'arrivée des troupes en septembre 1665, et de qui le père de Quen prendra sa maladie mortelle.

Quant à sa soeur Philippe Gertrude, elle se fera Ursuline chez Marie de l'Incarnation.

Grand voyageur, Martin de Lyonnes, bien qu'assigné à la vie de mission durant la belle saison, passe en France presque tous les automnes de 1950 à 1959, porteur du courrier des communautés missionnaires, et revient avec les voiliers du printemps pour rejoindre son port d'attache du Cap Breton et de l'Île Saint-Louis de Miscou, qui lui est assigné depuis 1645.

Le 16 janvier 1661, il mourra du scorbut qu'il a contracté après avoir soigné tous les malades de sa mission, à laquelle il aura consacré les 18 ans de sa vie à la Nouvelle-France.

Léonard Garreau

Léonard Garreau est originaire de Limoges.

Le 8 mars 1643, il est de la traversée de Martin de Lyonnes au départ du port de La Rochelle.

Exceptionnellement, la traversée va se prolonger durant quatre mois et demi, pour n'aboutir à Québec que le 15 août suivant... non sans avoir provoqué une grande perturbation chez le supérieur Barthélémy Vimont.

En septembre de l'année suivante, le père Garreau est nommé pour la Huronie et accompagne Jean de Brébeuf, qui retourne définitivement chez les Algonquins supérieurs, les Hurons et les Nipissings.

Trois ans plus tard, il est assigné dans la région où missionne Charles Garnier, chez les Pétuns. On lui doit d'avoir recueilli la dépouille du martyr, le 8 décembre 1649, et de l'avoir ramenée à Sainte-Marie-des-Hurons pour être ensevelie avec celles des pères de Brébeuf et Lalement.

Léonard Garreau est de nouveau cité à l'automne 1656, alors qu'il voyage avec Gabriel Druillettes et quelques 250 Hurons venus pour la traite de Québec et qui remontent chez eux par le lac des Deux-Montagnes.

Le 30 août 1656, le convoi est surpris à hauteur de Ville Marie par une tribu iroquoise commandée par le Bâtard Flammand, chef Iroquois, métis d'un Hollandais et d'une femme iroquoise, qui fait feu sur les embarcations.

Grièvement blessé d'un coup d'arquebuse, renversé dans son canot, il ne peut s'enfuir, comme le gros de la troupe. Ramassé par ses assaillants qui le dépouillent de ses vêtements et qui attendent vainement sa mort, il est traité avec des remèdes horribles durant trois jours, perdant son sang, sans boire ni manger, incapable de bouger, dans des souffrances intolérables.

Étant plus ou moins « alliés » avec les Français à l'époque et ne voulant pas l'achever, sans tenir compte de ses gémissements, en matinée du 2 septembre, les Iroquois chargent leur victime ensanglantée sur leurs épaules pour la déposer à demi-nue à l'Hôtel-Dieu de Ville Marie.

Moribond, c'est avec difficulté qu'il raconte son aventure et c'est dans la plus grande résignation qu'il pardonne à « ceux qui lui ont enlevé la vie ».

Il mourra en fin de soirée et sera enseveli à Ville Marie.

Gabriel Druillettes

Du même convoi que Martin de Lyonnes, Gabriel Lalement et Léonard Garreau, Gabriel Druillettes débarque à Québec le 15 août 1643, après une traversée de plus de quatre mois.

Le 6 octobre 1646, il est nommé chez les Abénaquis et, avant de rejoindre sa mission, va visiter les Ursulines pour leur dire au revoir et se recommander à leurs prières.

Le lendemain, Marie de l'Incarnation, émerveillée, signalera combien elle s'est sentie réconfortée par l'héroïsme du missionnaire, qui lui avait témoigné « la Joie qu'il avait de s'exposer seul dans un lieu où il serait abandonné de tous les secours humains ».

Neuf ans plus tard, le 2 septembre 1652, accompagnant les Hurons qui rentraient chez eux, il sera témoin de la fusillade des Agniers (Iroquois) qui coûtera la vie à son compagnon sur le lac des Deux-Montagnes.

Enfin, après les hostilités de 1665-1667 en Iroquoisie, il poursuivra sa vie missionnaire dans la région des Grands Lacs, de 1670 à 1677, pour ensuite retourner en France.

---

* Dans ses chroniques, le père Lucien Campeau, s.j., mentionne que le père Druillettes était un saint homme qui semblait être favorisé du charisme des miracles : dbc, T.I. p. 289-291.

1646

Claude Quentin

Au départ du port de la Rochelle le 15 juin 1646, s'embarque le père Claude Quentin, qui traverse l'Atlantique pour la troisième fois.

Après avoir missionné à l'Île Miscou au Cap Breton, il devient procureur pour les missions canadiennes, et ses activités le conduisaient à voyager entre la Vielle et la Nouvelle France.

Lors de la traversée de mars 1643, il accompagne « trois braves ouvriers » pour le service des Augustines.

Cette fois, un frère et trois pères s'embarquent avec lui : Gabriel Lalement, Adrien Daran, Amable Prétal et le frère Masson, coadjuteur, qui est immédiatement dirigé vers la Huronie.

Les autres y seront affectés deux ans plus tard.

1648

Adrien Le Greslon

Avec le martyre d'Antoine Daniel le 4 juillet 1648, la menace iroquoise se fait de plus en plus présente.

Malgré le danger, le père Bressani voyage à Québec pour chercher le ravitaillement de la mission, protégé par 250 braves Hurons, dont la moitié sont chrétiens.

Au retour, il ramène le frère coadjuteur Nicolas Noirclair, accompagné des pères Adrien Daran, Jacques Bonnin, Adrien Le Greslon et Gabriel Lalement, qui va assister le père Chaumonot chez les Hurons avant de rejoindre Jean de Brébeuf en janvier suivant, où le destin tragique les attend tous les deux.

Ce dernier mis à part, on sait peu de choses sur les activités de ses compagnons.

Repaires biographiques :

Adrien Daran, né à Rouen le 9 septembre 1615, entré au noviciat des Jésuites à Paris le 7 septembre 1635, est nommé pour la Nouvelle-France, où il arrive le 6 août 1646, et affecté à la Huronie deux ans plus tard.

Jacques Bonnin est originaire de Ploermel en Bretagne, où il naît le 1ᵉʳ septembre 1615.

Entré chez les Jésuites à Paris le 10 juin 1634, il arrive en Nouvelle-France le 14 août 1647 et est envoyé l'année suivante en Huronie, où il réside à Sainte-Marie-des-Hurons.

Le lendemain du martyre de Jean de Brébeuf et de Gabriel Lalement, il est mandaté pour reconnaître leurs dépouilles et les ramener à Sainte-Marie pour l'inhumation.

Retourné en France dès 1650, il rejoint la Martinique, où il mourra le 4 novembre 1659.

Adrien Le Greslon est originaire de Périgueux.

Lors de son arrivée en Huronie, il va épauler Léonard Garreau et Noël Chabanel, qui missionnent chez les Algonquins ou accompagner Charles Garnier chez les Pétuns.

Après le martyre de ce dernier, le 7 décembre 1649, il revient à l'Île Saint-Joseph, où sont regroupés les pères Jésuites dans le nouveau Sainte-Marie, qui sera fermé en juin suivant.

Au premier départ du 23 août, Adrien Le Greslon retourne en France pour être assigné aux missions orientales, et c'est en Chine que sa vie apostolique se poursuivra durant une cinquantaine d'années et où il s'éteindra en 1697.

Quant aux pères Bonnin et Daran et aux frères Joyer et Noirclair, ils s'embarqueront à leur tour le 21 septembre suivant, accompagnés du père de Lyonnes, porteur du courrier des missionnaires et qui reviendra comme à l'accoutumée avec les voiliers du printemps pour rejoindre sa mission au Cap Breton.

La Huronie au XVIIᵉ siècle

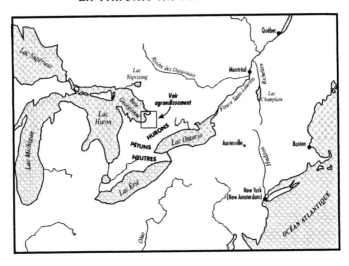

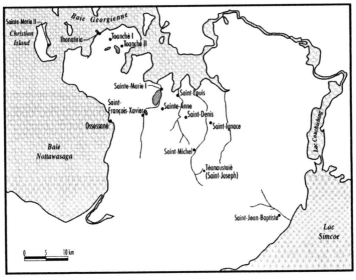

Un peu d'histoire

Le déclin de la mission huronne s'est vraiment amorcé en 1647.

Déjà, l'automne 1642 connaissait le martyre de René Goupil, l'un des premiers « donnés » de la Compagnie de Jésus et compagnon de captivité d'Isaac Jogues en Iroquoisie.

Deux ans plus tard, avec un second « donné », Jean de la Lande, le père Jogues était martyrisé à son tour à Auriesville, près d'Albanie. Il n'avait pas 40 ans.

En Huronie, les choses ne vont guère mieux !

La menace iroquoise se répand et, le 4 juillet 1648, c'est le père Antoine Daniel, à la mission de Saint-Joseph, qui subit le martyre dans sa chapelle en flammes. Il venait d'avoir 47 ans le 27 mai précédent.

En mars 1649, débute l'horrible hécatombe qui va toucher quatre autres missionnaires de la Huronie.

À proximité de la résidence centrale, le 16 mars, Jean de Brébeuf est martyrisé neuf jours avant d'atteindre ses 59 ans et sera rejoint par Gabriel Lalement, qui le sera le lendemain âgé de 38 ans.

L'imminence du danger oblige la communauté à tout abandonner.

Sainte-Marie-des-Hurons est incendiée et l'ensemble de la colonie se replie à l'Île Saint-Joseph pour tout recommencer.

Les Hurons ont suivi !

Durant cette période, quatre pères missionnent chez les Pétuns : dans les montagnes, Léonard Garreau et Adrien Le Greslon, et dans le village frontière d'Etarita, Charles Garnier et Noël Chabanel.

Quelques Hurons venus de chez eux informent le père Ragueneau que les Iroquois se sont manifestés et se préparent à anéantir leurs villages.

Le supérieur décide de les rappeler sur le champ, mais le message ne leur parvient qu'au début de décembre.

Le père Garnier ne croit pas devoir abandonner ses ouailles au moment du danger mais il se doit de retourner Noël Chabanel, puisque le présence d'un seul prêtre suffit.

Hélas, le 7 décembre, surpris par les Iroquois, il est tué par une décharge d'arquebuse, à l'âge de 43 ans.

Deux jours plus tôt, son compagnon, qui avait atteint ses 31 ans le 2 février précédent, avait été assommé d'un coup de hache par un Huron apostat qui avait abandonné son corps et qui avouera son forfait lorsqu'il sera reconnu avec le chapeau du père et son sac de voyage.

Revenu de ses montagnes, Léonard Garreau ramènera la dépouille du père Garnier, qui sera ensevelie avec celles de Jean de Brébeuf et de Gabriel Lalement.

Lors de la fermeture définitive de la mission, dans son canot, le père Ragueneau rapportera les ossements des trois missionnaires martyrs, qui sont depuis toujours pieusement conservés. Ceux des autres n'ont pas été retrouvés.

On peut les vénérer à Mindland, en Ontario, endroit du martyre des pères Brébeuf et Lalement, au monastère des Augustines de l'Hôtel-Dieu de Québec et à l'église du Gesù à Montréal.

Témoignages

Avant de tourner la page de
l'épopée des Martyrs Jésuites
du XVIIe siècle, on ne peut
manquer de signaler quelques
témoignages de leurs
contemporains.

De chacun il a été dit :

Joannes de Brebeuf soc Jes

JEAN DE BRÉBEUF   1593 - 1649

« Le Père Jean avait été choisi par Dieu pour être le premier apôtre des Hurons . N'ayant trouvé en Huronie une seule âme qui invoquât le nom de Dieu, il y besogna avec tant de succès qu'il eut la consolation de voir près de sept mille baptisés et la Croix de Jésus-Christ glorieusement plantée et adorée dans un pays qui, depuis la naissance du monde, n'avait jamais été chrétien ».

Paul Ragueneau S.J.
Supérieur en Huronie

ISAAC JOGUES   1607 - 1646

« Nous avons respecté cette mort comme la mort d'un martyr et quoy que nous fussions en divers endroits, plusieurs de nos Pères, sans savoir rien des uns des autres, pour la distance des lieux, n'ont pu se résoudre de célébrer pour lui la messe des trépassés, si bien de présenter cet adorable sacrifice en actions de grâce des biens que Dieu luy avait eslargis. »

Les séculiers qui l'ont connu particulièrement et les maisons religieuses ont respecté sa mort, se sentent plus tost porter d'invoquer le Père que de prier pour son âme.

Jérôme Lalement S.J.
Supérieur des Missions de la Nouvelle-France à Québec

Gabriel Lalement Soc. Jsu

GABRIEL LALEMENT   1610 - 1649

« C'était l'homme le plus faible et le plus délicat qu'on eût pu voir; cependant, Dieu, par un miracle de sa grâce, a voulu faire voir en sa personne, ce que peut un instrument, pour chétif qu'il soit, quand Il le choisit pour Sa Gloire et pour Son Service; il fut quinze heures dans des tourments horribles; le révérend Père de Brébeuf n'y fut que trois »

Marie de l'Incarnation O.S.U.
Fondatrice des Ursulines de Québec

ANTOINE DANIEL   1601 - 1648

« Depuis quatorze ans, il travaillait dans cette mission des Hurons avec un soin infatigable, un courage généreux dans les entreprises, une patience insurmontable, une douceur inaltérable et une charité qui savait tout supporter, tout excuser et tout aimer... Il semblait n'être né que pour le salut de ces peuples et n'avait pas de désir plus violent que de mourir pour eux. Nous espérons que dans le ciel, tout ce pays aura dans sa personne un puissant intercesseur auprès de Dieu ».

Paul Ragueneau S.J.
Supérieur en Huronie

Carolus Garnier

CHARLES GARNIER   1606 - 1649

« Ses grandes aspirations de sainteté se développaient en lui depuis l'enfance. Je peux vraiment dire que pendant ces douze années, je ne pense pas que, sauf pendant son sommeil, il ait passé seulement une heure sans de brûlants et véhéments désirs de progresser de plus en plus dans les voies de Dieu et d'y entraîner son prochain. En dehors de ces considérations, rien au monde ne le touchait, ni sa famille, ni ses amis, ni le repos, ni les épreuves, ni les fatigues. Dieu était tout pour lui; et en dehors de Dieu, rien ne comptait ».

Paul Ragueneau S.J.
Directeur spirituel de Charles Garnier en Huronie

NOËL CHABANEL   1613 - 1649

Lors du départ de Noël Chabanel pour sa dernière mission, son confesseur, Pierre Chastelain, qui avait été bouleversé des paroles de son pénitent « si résolu à la sainteté », n'avait pu s'empêcher d'en informer un de ses amis :

« Vraiment, je viens d'être touché ! Ce bon Père vient de me parler avec l'œil et la voix d'une victime qui s'immole. Je ne sais pas ce que Dieu veut faire, mais je vois qu'il fait un grand saint ».

Pierre Chastelain S.J.
Confesseur de Noël Chabanel en Huronie

1662

Julien Garnier

Né le 6 janvier 1643 dans la région de Saint-Brieuc en Bretagne, Julien Garnier entre au noviciat des Jésuites à Paris le 25 septembre 1660 et est assigné pour la Nouvelle-France, où il débarque le 27 octobre 1662.

Dès son arrivée à Québec, il est professeur au collège des Jésuites, tout en poursuivant ses études de théologie.

Le 11 avril 1666, il est ordonné prêtre par Mgr de Laval, premier Jésuite à recevoir les Ordres à Québec, après Henri de Bernières, prêtre séculier et curé de la cathédrale.

Deux ans plus tard, il débute une vie missionnaire intense en Ontario, au Québec, en Iroquoisie et dans la région des Grands Lacs.

Après 60 ans d'apostolat, le père Garnier se retire à Québec pour décéder au collège des Jésuites, le 30 janvier 1730, à l'âge de 87 ans.

1665

Claude Dablon

Né à Dieppe en 1618 ou 1619, Claude Dablon est le fils de l'un des principaux bourgeois de la ville.

Entré chez les Jésuites en 1639, il est envoyé au Canada en 1655 et immédiatement affecté à la mission des Iroquois Onnontagués, d'où il reviendra au printemps 1657 avec le commandant Zacharie Dupuis.

Après la fermeture de la mission huronne, les objectifs missionnaires de la Compagnie de Jésus s'étaient orientés vers l'Iroquoisie et plus tard, devaient coïncider avec l'arrivée des troupes de Monsieur de Tracy, venu faire la paix avec les autochtones.

En 1665, le père Dablon est revu dans la région avec le père Chaumomot.

Nouveau départ

Lors de la fin des hostilités et la prise en charge spirituelle de la colonie par le clergé formé au séminaire de Québec, les missionnaires devaient reprendre la route des missions et étendre de plus en plus le champ de leur apostolat.

Avec les Messieurs de Saint-Sulpice, on retrouve le père Dablon dans la région des Grands Lacs, puis il sillonne la route du Saguenay à la recherche de la Baie d'Hudson.

Devenu supérieur à Québec, c'est à lui que revient en 1671-1672 de rédiger les dernières « Relations de la Nouvelle-France », commencées par le père Le Jeune en 1632 et tenues régulièrement par les dix supérieurs qui lui ont succédé.

Confrérie de la Sainte Famille

Dans un autre registre, dès son arrivée à Québec, Mgr de Laval avait adopté les dévotions implantées au pays.

Des Jésuites, il avait appris « qu'ils formulaient un vœu chaque année pour la conversion des sauvages ». En le faisant sien, il avait demandé que ce voeu soit transmis au séminaire de Québec, où il continuera de se prononcer dans l'octave de l'Immaculée Conception, de génération en génération, et auquel il ajoutera la dévotion à la Sainte Famille.

Inaugurée à Ville Marie par le père Chaumonot le 31 juillet 1663 en la fête de saint Ignace, la confrérie est officiellement approuvée par l'évêque de Québec, le 14 mars suivant, par lettre, sous l'appellation « La Sainte Famille de Jésus, Marie, Joseph et les Saints Anges ». L'année suivante, l'évêque en obtient l'indult de Rome, du pape Alexandre II (indulgences plénières). C'est alors qu'il sollicite quatre éminents théologiens de Québec, M.M. Louis Ango des Maizerets et Henri de Bernières de l'évêché, assistés des pères Bouvard et Dablon, de la Compagnie de Jésus, à composer un office de la Sainte Famille. Plus de 340 ans plus tard, la confrérie existe toujours et continue ses activités à la basilique Notre-Dame de Québec.

Enfin, âgé de 62 ans, le père Dablon est cité, lors du recensement de 1681, dans la liste des Jésuites du collège de Québec, où il décèdera le 3 mai 1697.

1666

Jacques Frémin

Jacques Frémin, né à Reims en Champagne en 1628, entre au noviciat des Jésuites en 1646, et est ordonné prêtre en 1665, avant de passer à Québec l'année suivante.

Retourné en France cette même année, il reviendra à Québec deux ans plus tard, après avoir fait ses voeux de co-adjuteur spirituel.

En 1665, le régiment de Tracy-Carignan-Salières, était arrivé au pays pour faire la paix avec les Iroquois. L'année suivante, le gouverneur M. Le Marquis de Tracy va diriger lui-même ses troupes, auxquelles vont s'ajouter des « habitants du Canada » les plus en mesure de combattre.

Commandés par Charles Le Moyne, enrôlés volontaires dans la milice de la Sainte Famille, ces derniers viennent de Québec, des Trois-Rivières et surtout de Montréal, et se feront remarquer non seulement par leur bravoure, mais aussi par le gros drap bleu sombre de leurs habits, qui leur vaudra le surnom de « capots bleus ».

L'objectif des manoeuvres militaires étant de venir à bout de la menace iroquoise, c'est vers leur pays que l'armée va se diriger dans trois expéditions, d'abord au printemps, puis à l'été et enfin à l'automne.

La réussite des opérations, notamment la dernière, va se solder par la déroute des Iroquois, qui vont réclamer des « Robes noires » !

La paix étant officiellement signée dans la première quinzaine de juillet suivant, c'est avec deux compagnons, les pères Jacques Bruyas et Jean Pierron, que le père Frémin est désigné pour les missions iroquoises, qu'il rejoint le 14 juillet 1667.

À la suite d'affectations diverses en Iroquoisie, il reviendra à Québec une douzaine d'années plus tard pour assumer la direction spirituelle des Augustines de l'Hôtel-Dieu.

Le père Chastelain, âgé et malade, avait demandé d'être relevé de ses fonctions en recommandant d'être remplacé par le père Frémin, qui le demeurera jusqu'à son décès.

Sauf cette dernière responsabilité qui lui sera confiée, les annales confirment que ses compagnons avaient suivi la même trajectoire comme missionnaires chez les Iroquois de différentes tribus, dont nous ne retiendrons que les origines.

Jacques Bruyas, né à Lyon, était arrivé au Canada en 1666, pour être dirigé en Iroquoisie l'année suivante.

Quant à Jean Pierron, né en 1631, à Lorraine, il appartenait à la Province de Champagne. Présent à Québec en 1667, il sera lui aussi, avec les pères Bruyas et Frémin, envoyé en Iroquoisie.

Jusque là, quatre missionnaires avaient évangélisé ces nations; les pères Isaac Jogues, François Bressani, Antoine Poncet et Simon Le Moyne. Mais les trois premiers n'étaient intervenus qu'à l'occasion de leur captivité et le dernier, dans des conditions fort dangereuses.

Cette fois, les trois Jésuites vont être accueillis officiellement par une nation qui demande à être convertie et qui a enterré « la hache de guerre ».

Ils seront reconnus les premiers missionnaires Jésuites évangélisateurs officiels auprès de cette nation, tenue responsable du martyre de huit des leurs.

Au recensement de 1681, Jacques Frémin, âgé de 60 ans, est signalé dans la liste des Jésuites demeurant au collège de Québec.

Il s'éteindra à l'Hôtel-Dieu le 20 juillet 1692, après 26 ans passés en terres canadienne et américaine.

1670

François de Crespieul

Né à Arras en 1638, entré au noviciat des Jésuites en 1658, François de Crespieul est nommé en Nouvelle-France en 1670 et affecté l'année suivante dans la région du Saguenay, où il va missionner durant plus de trente ans.

Lors de son arrivée à Québec, la mère Catherine de Saint-Augustin était décédée au monastère des Augustines deux ans plus tôt, et sa biographie allait être publiée à Paris l'année suivante par son directeur spirituel, le père Paul Ragueneau.

L'ayant lue et mis en doute les peines intérieures de la jeune religieuse, il la vit en songe, portant une grande croix entre ses bras, du bout de laquelle elle le touchait. La description de cette vision sera reproduite et insérée dans le livre du père Ragueneau (voir page suivante).

À son réveil, le père sera affligé de peines terribles, qui dureront pendant plusieurs années et qui chasseront ses doutes sur celles de l'Augustine, pour qui il développera une grande dévotion et qui l'accompagnera tout au long de sa vie.

Entre autres, il la reverra au cours d'un autre songe, où elle lui donnera l'assurance que l'Hôtel-Dieu ne manquera jamais de sujets.

La Mère Caterine de St-Augustin Religieuse Hospitalière de Quebec en Canada, morte le 8. may 1668. a trente six ans. I C. et la S.te Vierge luy apparoissent . Deux Anges la gouvernent, sa place luy est montrée au ciel, et luy est dit que la Croix luy seruira d'echelle pour y monter . Les Ames de Purgatoire implorent son secours. Elle est victorieuse des Demons. Le P.l. de Brebeuf bruslé, s Iroquois en 1649 trauaillant au salut des ames la dirige sensiblement . . . . . .

La Mère Catherine de St-Augustin

(Frontispice de sa VIE composée par le P. Ragueneau et parue en 1671)

Effectivement, dès l'année suivante, cinq jeunes filles entreront chez les Augustines et, un peu plus tard, on comptera plus d'une vingtaine de novices et de postulantes au monastère de Québec.

D'autres faveurs lui seront accordées par l'intercession de la servante de Dieu, dont le recouvrement de sa chapelle domestique perdue au cours d'un naufrage en 1686.

En effet, ses sauvages avaient laissé ses bagages au bord de l'eau et surtout la cassette qui contenait sa chapelle domestique. Un vent violent enfla la mer de telle sorte qu'elle emporta le tout bien loin du rivage.

Très affligé, le père Crespieul fit un voeu à la mère de Saint-Augustin pour la conservation de sa chapelle, qu'il retrouva le lendemain fort loin, où les vagues l'avaient poussée sans l'endommager, ni même la mouiller ...

François de Crespieul ne reviendra définitivement à Québec qu'au bout de ses forces pour y mourir en 1702.

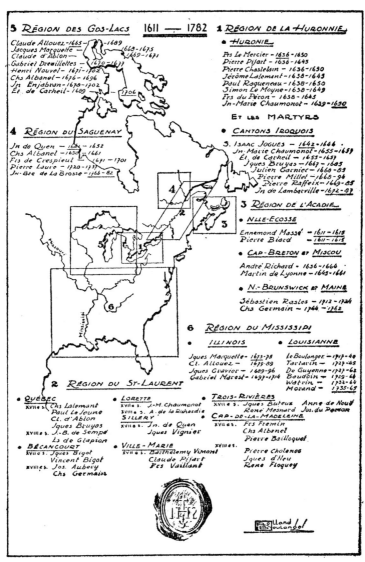

Les missions des jésuites en Nouvelle-France

Épilogue

La fermeture de Sainte-Marie, en 1650, avait sonné le glas à la présence d'un bon nombre de missionnaires venus dans le but précis d'évangéliser les nations autochtones, et spécialement celle des Hurons, et la plupart étaient rentrés chez eux.

Toutefois, quelques autres viendront par la suite pour être assignés aux missions québécoises et chez les Iroquois. Mais lors de la grande aventure huronne, les nouveaux venus ne se trouvant pas au pays sont moins présents dans notre mémoire.

La fondation du Séminaire de Québec par Mgr de Laval en 1663 et l'arrivée du clergé français pour la formation des prêtres, suivie de celle des aumôniers militaires venus assister les troupes du régiment de Carignan lors de la pacification du pays, allaient permettre à la Compagnie de Jésus de reprendre la route des missions, rejointe par d'autres missionnaires.

À la suite des explorations du père Henri Nouvel, de nouveaux champs d'apostolat allaient s'ouvrir vers le nord.

Toute la région des Grands Lacs sera explorée et jalonnée de postes de mission.

Les pères Dablon et Druillettes, les Messieurs de Saint-Sulpice, Dollier de Casson, de Fénélon et Trouvé, vont parcourir les régions et prendre contact avec de nouvelles tribus, alors que le père Claude Jean Allouez se dirige vers le lac Supérieur.

En 1670, avec l'appui de Jean Talon, les Récollets font leur réapparition.

La décision royale de confier l'évangélisation de la colonie aux Jésuites, en 1631, les avait tenus loin du territoire, malgré leur implication au pays depuis 1615.

Au moment où Marie de l'Incarnation va s'éteindre, en avril 1672, elle est consciente qu'une nouvelle phase de l'histoire missionnaire commence et que tous les espoirs sont permis.

Elle écrira à la supérieure des Ursulines de Dijon :

« La grâce du ciel continue et a ouvert la porte à l'Évangile de tous les côtés de cette Amérique où les missionnaires de la Compagnie de Jésus se sont répandus d'un courage qui ne peut s'exprimer. »

De plus, pour elle, une prochaine fondation de son Ordre s'amorce en Martinique.

L'oeuvre apostolique est parfaitement engagée.

Les Pères Jésuites

Depuis la première tentative d'évangélisation, les noms de plus d'une quarantaine de Jésuites passés au Nouveau Monde ont été signalés.

On retiendra le retour en France des pères Pierre Biard, Charles Lalement, Barthélemy Vimont, Paul Le Jeune, Nicolas Adam, Ambroise Davost, Paul Ragueneau, Simon Le Moyne, Gabriel Druillettes, Adrien Daran, Jacques Bonnin, Pierre Pijeart, François Du Perron et Joseph Imbert Du Perron.

Avec les martyrs canadiens, Jean de Brébeuf, Isaac Jogues, Gabriel Lalement, Antoine Daniel, Charles Garnier et Noël Chabanel, dans le groupe des Jésuites décédés au pays, sont retenus les pères Charles Raybault, Énemond Massé, Jean de Quen, Pierre Chastelain, Jérôme Lalement, Pierre-Joseph-Marie Chaumonot, Jacques Frémin, Martin de Lyonnes et François de Crespieul.

De plus, Jacques Buteux sera blessé par balle, Léonard Garreau d'un tir d'arquebuse et René Ménard probablement assommé d'un coup de hache.

Enfin, c'est au cours d'accidents tragiques que mourront Anne de Nouë, retrouvé gelé lors d'une nuit de tourmente, et Philibert Noyrot, noyé lors d'un naufrage.

Quant à François Le Mercier et Antoine Poncet de la Rivière, c'est en Martinique que se terminera leur apostolat, et en Chine, celui d'Adrien Le Greslon.

Les Frères Coadjuteurs

Il est également opportun de mentionner la présence de ces religieux qui ont traversé l'Atlantique pour généreusement seconder les pères dans leurs tâches apostoliques.

François Charton et Gilbert Burel étaient du voyage des cinq premiers Jésuites envoyés en Nouvelle-France pour partager la tâche avec les Récollets, et l'année suivante, le frère Gaufrestre les avait rejoints avec une équipe de travailleurs. Mais comme tous les missionnaires, ils devaient rentrer en France en 1629, lors de la prise de possession du pays par les frères Kirke au profit de l'Angleterre. En 1631, lors de la récession du Canada à la France par les Anglais, au traité de Saint-Germain-en-Laye, Gilbert Burel reviendra à Québec avec le père Le Jeune, pour réorganiser la mission.

Cinq ans plus tard, à la Résidence Notre-Dame des Anges, sous la direction du supérieur Charles Lalement, avec cinq pères, en plus de Gilbert Burel, cinq autres frères coadjuteurs sont mentionnés : Pierre le Tellier, Jean Liégeois, Pierre Féante, Ambroise Cauvet et Ludger Gobert. Avec ce dernier, Ambroise Brouet et Pierre Masson seront assignés à la mission huronne, tout comme Nicolas Noirclair en septembre 1648.

Mais bien que les chroniques consultées ne mentionnent pas leur présence au pays après sa fermeture, il n'est pas impossible que certains d'entre eux soient demeurés en Nouvelle-France ou que d'autres soient venus s'ajouter. Et comme les recensements de 1666-1667 et de 1681 signalent une douzaine de frères et huit « donnés », il n'est pas exclu que quelques-uns de cette vingtaine de jeunes gens soient devenus religieux jésuites à Québec au cours de la seconde moitié du XVIIe siècle.

Les « Donnés »

Et que dire des « donnés », présents également, laïcs au service de Dieu, en union avec les missionnaires de la Compagnie mais sans y entrer ni prononcer des vœux de religion ! Cette initiative du père Jérôme Lalement à son arrivée en Huronie, en 1638, et approuvée par son Provincial de France et son supérieur de Québec, avait rejoint plusieurs jeunes gens qui allaient y consacrer leur vie.

* Lié par contrat, le « donné » s'engageait à aider bénévolement les missionnaires dans leur apostolat et à obéir au supérieur.

* Tout en menant une vie semi religieuse, il travaillait à bâtir, à entretenir et à défendre les maisons de la société.

* Il accompagnait les missionnaires en voyage et pouvait instruire les indigènes à l'occasion.

* Il s'engageait aussi à observer la chasteté et se liait en conscience par un vœu privé.

La mission, pour sa part, traitait le « donné » comme un membre de la société.

* Elle lui fournissait l'habillement, le logement et les soins médicaux au besoin.

* Elle lui permettait également de participer aux prières et aux exercices spirituels de la communauté.

Ce projet du père Jérôme Lalement a offert des âmes d'élite à la mission huronne.

Dès son établissement, il comptera six ou sept domestiques d'une grande piété et d'une vertu éprouvée, qui formeront le premier noyau des « donnés ». Dix ans plus tard, ils seront une trentaine.

On sait déjà qu'il sera donné à l'un d'entre eux, le cordonnier Christophe Régnaut, de recueillir les dépouilles des martyrs Jean de Brébeuf et Gabriel Lalement, de les ensevelir et surtout de décrire les supplices infligés à leurs corps. Cette page émouvante, conservée, a été déposée aux Archives Nationale à Ottawa.

Leur supérieur témoignera :

« Ce sont des hommes choisis; la plupart sont décidés à vivre et à mourir pour nous; ils nous assistent avec un courage, une fidélité et une sainteté qui ne sont pas de la terre. Ils n'attendent leur récompense que de Dieu ».

Et le père Charles Garnier dira d'eux :

« Séculiers d'habit, ils sont religieux de cœur ».

C'est dans ce petit groupe d'obscurs et précieux ouvriers que deux d'entre eux recevront la Grâce insigne du martyre pour la Foi.

Comment ne pas mentionner ces deux martyrs canadiens, René Goupil et Jean de la Lande, membres de cette glorieuse phalange !

AD MAJOREM DEI GLORIAM

Appendice I

Les Supérieurs des missions en Nouvelle-France

Auteurs des « Relations » adressées à leur Supérieur Provincial de Paris

PAUL LE JEUNE 1631 - 1639

BARTHÉLEMY VIMONT 1639 - 1646

HIEROSME LALEMENT 1ᵉ 1646 - 1649

PAUL RAGUENEAU 1649 - 1652

FRANCOIS LE MERCIER 1e 1653 - 1656

JEAN DE QUEN 1656 - 1661

HIEROSME LALEMENT 2ᵉ 1661 - 1665

FRANCOIS LE MERCIER 2ᵉ 1665 - 1670

CLAUDE DABLON 1670 - 1672

Appendice II

*Liste des missionnaires en Huronie en 1648, d'après les archives de Rome ***

Père Paul RAGUENEAU, supérieur profès,

Père François LE MERCIER, ministre profès,

Père Pierre CHASTELAIN, directeur spirituel profès,

Père Jean de BRÉBEUF, confesseur, coadjuteur formé,

Père Claude PICARD, consultant profès,

Père Antoine DANIEL, profès,

Père Simon LE MOYNE, profès,

Père Charles GARNIER, profès,

Père René MÉNARD, profès,

Père François DU PERRON, coadjuteur formé,

Père Noël CHABANEL, coadjuteur formé,

Père Léonard GARREAU,

Père Joseph Antoine PONCET,

Père Pierre-Joseph-Marie CHAUMONOT,

Père François BRESSANI,

Père Gabriel LALEMENT,

Père Jacques MORIN,

Père Adrien DARAN,

Père Adrien LE GRESLON,

Frère Ambroise BROUET, coadjuteur formé,

Frère Ludger GAUBERT, coadjuteur formé,

Frère Pierre MASSON, coadjuteur formé,

Frère Nicolas NOIRCLAIR, coadjuteur formé,

* Liste relevée par le R. P. Martin et publiée dans Hurons et Iroquois (Paris 1898)

Messire Noël Bruslard de Sillery   Père Paul Le Jeune, S.J.

L'ANTIQUE RÉSIDENCE DES JÉSUITES A SILLERY

Appendice III

La maison des Jésuites à Sillery

En 1637, la mission Saint-Joseph de Sillery avait pris forme avec les travaux de construction d'une maison à la française, qui n'était pas sans rappeler la maison actuelle et où les missionnaires devaient être affectés au service des Algonquins.

L'aide pécuniaire d'un généreux donateur Messire Noël Bruslard de Sillery, lui donnera de laisser son nom à la localité.

L'année suivante, les pères Paul Le Jeune et Jean de Quen vont accueillir les deux premières familles amérindiennes converties, qui logeront dans la maison.

En 1642, elles sont une quarantaine de familles à cabaner autour et, avec l'aide d'un autre mécène, les Jésuites érigent une chapelle en pierre dédiée à Saint-Michel, sous laquelle sera inhumée la dépouille du père Massé en 1646. Outre cette chapelle, au cours des trois années suivantes, la mission s'enrichit d'une palissade en bois, d'un four à pain et d'une brasserie, la seconde construite en Nouvelle-France.

C'est le frère Ambroise Cauvet qui en devient le maître brasseur, et sa première cuvée sera offerte aux Sillerois dès 1647.

Situé en banlieue de Québec, en bordure du Saint-Laurent, le site est particulièrement favorable au va et vient sur le fleuve, tant pour rejoindre les territoires de l'est, soit le Saguenay et le Cap Breton, que ceux de l'ouest, soit Trois-Rivières, Ville Marie et la Huronie.

Lors de l'arrivée des Hospitalières de Dieppe en 1639, l'objectif initial prévoyait leur installation en Haute Ville de Québec; mais l'ouverture de cette nouvelle mission devait les inciter à se fixer près de la résidence des Jésuites à Sillery, pour répondre aux besoins des occupants. Malheureusement, quatre ans plus tard, le péril iroquois obligera le gouverneur à recommander leur rapatriement à Québec, où elles s'installeront définitivement.

À ses débuts, le projet du père Le Jeune s'adressait d'abord aux Algonquins, mais d'autres tribus ne tarderont pas à les rejoindre. Ainsi, on y verra notamment des Montagnais, des Hurons, des Soriquois, des Sokokiois, des Souriquois, des Annieronons, des Abénaquis et des Annontagus.

Il y a lieu de présumer que, au cours de cette époque, la plupart des missionnaires venus en Nouvelle-France ont passé ou séjourné à la Maison des Jésuites.

Mis à part les pères Le Jeune et de Quen, les annales signalent que d'autres compagnons vont diriger ou occuper la résidence au cours de périodes plus ou moins longues.

Ainsi, lors de son arrivée en 1640 et durant les trois années suivantes, le père Simon Le Moyne a assuré son ministère auprès des Augustines de l'hôpital.

En 1646, et durant deux ans, c'est le père Gabriel Lalement qui sera affecté à Sillery avant d'être nommé en Huronie.

Les chroniques signalent que, antérieurement, lors de la venue à Québec du père de Brébeuf pour se faire soigner, en juin 1642, il était présent à Sillery à l'occasion du baptême de l'un de ses néophytes, le capitaine Tondatsa, qu'il devait interroger et qui sera baptisé par le supérieur Barthélemy Vimont. Jean de Brébeuf y passera deux ans, responsable des indigènes convertis, en plus de sa tâche d'économe de la mission huronne.

Enfin, c'est à la Maison des Jésuites que le père Énemond Massé viendra se reposer à l'automne 1645 pour y décéder le 12 mai suivant.

Dans la « Relation » de 1646, le père Jérôme Lalement mentionne qu'il y demeurait depuis octobre 1645. Le 18 mai, au retour d'un voyage aux Trois-Rivières, il écrivait :

> « J'y ai trouvé le Père Énemond Massé mort dans la nuit du 11 au 12 mai sur le minuit et enterré en la nouvelle chapelle non encore achevée ».

De plus :

Madame Carmelle Dion Ouellet, chercheuse passionnée et membre actif de la Société d'Histoire de Sillery, nous a transmis la liste de la quarantaine de Jésuites qui se sont arrêtés à Sillery pour de brefs séjours, sans tenir compte des autochtones, des frères Jésuites, des mercenaires, des serviteurs et des ouvriers de toute sorte. Nous citons :

Les pères : Charles Albanel, Claude Allouez, Jean Amyot (inhumé à Sillery), Pierre Bailloquet, Claude Bardy, Thierri Beschefert, Pierre Bonnet, Jacques Bonnin, Jacques Bryas, François Bressani, Jacques Buteux, Pierre Chastelain, Pierre-Joseph-Marie Chaumonot, Claude Dablon, Adrien Daran, Louis de Beaulieu, Jean de Brébeuf, Jacques de La Place, Martin de Lyonnes, Anne de Nouë, Jacques Frémin, Julien Garnier, Isaac Jogues, Léonard Garreau, Gabriel Lalement, Simon Lemoyne, François Le Mercier, Jacques Marquette, René Ménard, Louis Nicolas, Henri Novel, Jean Pierreau, Claude Pijeart, Antoine Poncet de la Rivière, Claude Quentin, Pierre Raffeix, Paul Ragueneau, André Richard, Charles Simon et Barthélemy Vimont.

Fin de la Maison des Jésuites

Depuis l'installation des Hurons à l'Île d'Orléans, les Iroquois, en continuant leurs guérillas, menaçaient les missions de Québec et de Sillery.

Dès 1650, pour protéger leurs habitations, les Jésuites avaient remplacé la palissade en bois de leur propriété par des murs de pierre chapeautés de quatre tourelles, mais la présence iroquoise avait réduit les occupants à la famine et la maladie.

La peur était devenue omniprésente dans toute la région. En 1655, un des leurs, le frère Jean Liégeois est tué à proximité.

De plus, le sort s'acharne sur eux et, le 13 juin 1657, un feu de cheminée dans la résidence principale se propage à l'ensemble des bâtiments.

Découragés, mais toujours animés par leur désir de convertir les infidèles, les missionnaires se remettent à la tâche, et une nouvelle résidence est ouverte trois ans plus tard.

Hélas le climat ne sera plus jamais le même !

Par crainte des Iroquois, les Indiens vont déserter Sillery, des épidémies vont sévir et la mort en décimer un bon nombre, si bien qu'en 1698, les Jésuites décident de fermer la mission.

Les terres sont mises en location et, jusqu'à la conquête, le bâtiment principal ne leur servira que de maison de campagne.

C'est alors qu'en 1759, la communauté décide de la louer à l'élite de la nation conquérante.

De nombreux locataires vont s'y succéder et, avec le temps qui passe, la maison va se détériorer.

L'époque de la conquête n'a rien réglé.

En 1880, lors du décès du dernier survivant de la communauté, les biens des Jésuites sont saisis et la maison louée à un brasseur venu de Herefordshire en Angleterre, qui va utiliser les terrains pour sa production de houblon et l'ancienne chapelle comme houblonnière.

Après son décès en 1815, la famille Molson prend la relève, lorsque venue de Montréal, elle s'installe rue Saint-Pierre à Québec pour accéder au monopole permanent de la bière.

Puis, au cours du XIXe siècle, qui est marqué par le commerce du bois et son équarrissage, on voit de nombreux industriels se succéder dans l'ancienne Maison des Jésuites, dont un constructeur naval qui met en chantier des voiliers de fort tonnage. Il fera même démolir l'ancienne chapelle dans le but de faire place à un petit quai.

En 1857, Richard Reid Dobell loue la maison et installe son beau-frère, Thomas Beckett, qui va l'occuper durant trente ans avant de la racheter en 1896. Elle est transmise aux héritiers jusqu'en 1924, et ces derniers la cèdent à la commission des monuments historiques afin de la convertir en musée, mais elle ne sera classée que cinq ans plus tard.

Son classement, en 1929, par le ministère des Affaires culturelles ne la protège pas pour autant et, en 1946, la Maison des Jésuites fait face à un sérieux danger de démolition.

Deux ans plus tard, elle est acquise par Monsieur le capitaine et Madame Roland Gagné, de Pointe-au-Pic, pour en faire un musée d'histoire canadienne. Ils réussissent à maintenir leur entreprise culturelle pendant sept ans avant de la vendre aux premiers propriétaires en 1956.

Durant vingt ans, le père Adrien Pouliot, passionné d'histoire, va animer la maison, transformée en petit musée de sa congrégation.

En 1976, le Gouvernement du Québec reprend possession du site et en laisse la gérance à la ville de Sillery pour le lui céder en 1985.

Au cours des trois années suivantes, d'importants travaux de rénovation sont réalisés par le ministère des Affaires culturelles, assumé à l'époque par Madame Lise Bacon.

Enfin, la ville de Sillery cède sa gérance à la Corporation de la Vieille Maison des Jésuites, qui y tient des activités muséologiques.

Devant l'ampleur de la tâche, le conseil de la nouvelle corporation et le ministère des Affaires culturelles invitent la Fondation Bagatelle à la prise en charge et au développement de la maison. Sous son égide, on y investit temps et argent. La Maison des Jésuites développe avec succès les structures du site et contribue à sa protection et à la mise en valeur des vestiges archéologiques encore présents dans le sous-sol environnant.

Avec la participation du milieu, du Gouvernement du Québec et dans une moindre mesure, du Gouvernement fédéral, la Fondation complète de grands travaux, tant à l'intérieur qu'à l'extérieur de la propriété.

Très dynamique avec des expositions consacrées à la culture matérielle, à l'histoire autochtone et silleroise, ainsi qu'aux arts populaires, le petit musée continue d'accueillir de nombreux visiteurs.

Entre temps, deux siècles vont passer avant qu'il ne soit question du père Massé.

Le retour des Jésuites français au Canada, en 1842, provoque un nouvel intérêt de leur part pour l'histoire primitive de la Compagnie en Nouvelle-France, et le père Félix Martin s'y intéresse particulièrement.

De patientes recherches historiques vont conduire à la découverte de l'emplacement de l'ancienne chapelle, mais ce n'est que le 4 octobre 1869 que des fouilles minutieuses permettront de retrouver les ossements relativement bien conservés du missionnaire sou s le choeur du côté de l'évangile. L'année suivante, le dimanche 26 juin 1870, la population de Sillery érige un monument à la mémoire de l'humble père sur le lieu même de sa sépulture. Dix ans plus tard, le monument est le théâtre d'un ralliement national et religieux.

Plusieurs années passent.

En 1937, le troisième centenaire de la mission Saint-Joseph est hautement souligné par la présence du lieutenant-gouverneur et des autorités religieuses de Québec, sous le patronage de la Société Saint-Jean-Baptiste de Sillery.

Le 9 juin 1946, c'est la Société Historique de Québec qui prend l'initiative de commémorer le troisième centenaire de la mort du missionnaire par la célébration d'une messe en plein air, suivie d'une manifestation populaire.

Trois ans plus tard, la Société Saint-Jean-Baptiste de Sillery acquiert légalement le lot qui contient les fondations de l'ancienne chapelle, la sépulture du père Massé et le monument à sa mémoire, et le cède gratuitement à la cité de Sillery le 5 mai 1952, tout en continuant d'honorer publiquement le célèbre missionnaire le 24 juin de chaque année.

Ainsi, avec la vieille Maison des Jésuites, le monument d'Énemond Massé perpétue auprès d'un public enthousiaste la mémoire des Jésuites de la Compagnie de Jésus, évangélisateurs de la Nouvelle-France, avec la présence toujours vivante de son premier missionnaire.

MONUMENT DU P. MASSÉ A SILLERY

Sur le site de l'ancienne église

Appendice IV

Les Jésuites aumôniers militaires

Les années 1659 à 1669 allaient être décisives en Nouvelle-France et lui donner un nouveau départ.

Au matin pascal du 13 avril 1659, François de Montmorency Laval, devenu le premier évêque du Nouveau Monde, s'embarque au port de La Rochelle, et le navire aborde à Percé le 16 mai suivant pour y passer trois jours et atteindre Québec un mois plus tard.

Au moment de l'arrivée du Prélat, le pays fait face à deux problèmes majeurs, qu'il allait devoir envisager : la traite de l'eau-de-vie avec les Indiens et les guérillas de la nation iroquoise, qui terrorisent la population.

La fermeture de la mission huronne n'avait rien réglé, et les Hurons momentanément installés à l'Île d'Orléans avaient été envahis par les Iroquois, qui avaient fait prisonniers quelques habitants et obligé le père Chaumonot à les ramener à Québec avant de les fixer à Notre-Dame de Lorette.

En 1660, Ville Marie devient la première cible de leur carnage.

Deux Sulpiciens meurent sous leurs coups.

N'eut été le courage de Dollard des Ormeaux et de ses compagnons au Long-Sault, la cité aurait été décimée.

Quant au trafic de l'eau-de-vie, il semble impossible de l'enrayer. Même la menace de l'excommunication de l'Église n'y peut rien. D'autant plus que les pouvoirs temporels, en conflit avec l'évêque, supportent plus ou moins les récalcitrants.

Seule l'intervention royale pourrait y mettre fin, et Mgr de Laval a mûri certains projets qui demandent l'assentiment du roi.

Le 12 août 1662, il s'embarque avec le père Paul Ragueneau, ancien professeur du « Grand Condé », qui pourra peut-être lui faciliter les choses.

Lors de son retour, le 15 septembre 1663, ses démarches ont porté fruits.

Il a obtenu :

* l'interdiction de la vente d'eau-de-vie aux Indiens;

* la promesse d'une armée pour la protection du pays;

* l'autorisation de fonder un séminaire pour la formation du clergé.

Le roi prend la direction de ses colonies d'Amérique et les dote d'une armée dirigée par Monsieur le Marquis de Tracy.

Cette grande aventure du régiment de Carignan au Canada va marquer un pas dans l'évolution de l'armée française.

« Pour la première fois de son histoire, tous les régiments seront dotés d'uniformes, de couleurs et de signes qui leur sont propres. »

Le 19 novembre 1663, Monsieur le Marquis de Tracy est nommé lieutenant général du roi dans toute l'Amérique et quitte le port de La Rochelle l'année suivante pour se diriger vers la Guadeloupe.

Le 25 avril 1665, en séjour à la Guadeloupe, il est avisé de se rendre de toute urgence au Canada, qu'il rejoint un mois plus tard avec quatre compagnies du régiment, accompagnées de deux aumôniers jésuites, les pères Claude Bardy et François Dupéron.

Malade de fièvre à son arrivée, ce dernier accompagne quand même les troupes au Fort Saint-Louis où il décède le 10 novembre suivant, alors que sa dépouille sera rapatriée à Québec pour y être ensevelie.

Le père Charles Albanel le remplacera.

Mise à part la contribution des pères Jésuites Chaumonot et Beschefert comme aumôniers du régiment de Carignan, peu de renseignements nous sont parvenus concernant les quelques autres qui ont accompagné les militaires en campagne.

Mais les annales mentionnent largement les difficultés rencontrées au cours des expéditions des troupes et de leurs aumôniers, retenant surtout la marche à pied ou en raquettes, dans la froidure de l'hiver canadien, sans relais pour les accueillir.

C'est à vous donner « froid dans dos » ! Et c'est le moins que l'on peut dire...!

Durant le transfert du Marquis de Tracy, de la Martinique à Québec, simultanément, quatre autres compagnies du régiment vont être mandatées de France pour les rejoindre et mouilleront au port de Québec les 18 et 19 juin, portant un autre aumônier, le père Thierry Beschefert avec pour compagnon le « donné » Charles Boquet.

Les chroniques sont prolifiques quant à ce dernier. Le père Beschefert est né à Chalons-sur-Marne le 25 mai 1630, et signe Théodore. Entré chez les Jésuites au noviciat de Nancy le 24 mai 1647, il est ordonné en 1662 et devient aumônier militaire en 1665 dans le régiment de Carignan.

Lors de son arrivée à Québec le 19 juin, il se rend aux Trois-Rivières, où les soldats doivent tenir garnison, mais une fièvre continue l'oblige à retourner à Québec le 14 octobre suivant.

On le revoit missionnaire au Cap de la Madeleine vers 1668-1669, chez les Iroquois de 1670 à 1682, puis supérieur du collège de Québec durant plusieurs années.

Puis aux recensements de 1666 et de 1681, âgé de 52 ans, il est signalé comme étant rattaché au collège des Jésuites à Québec.

En 1689, il passe en France, où durant deux ans, il est procureur des missions canadiennes, revient au pays le 28 juillet 1691 pour peu de temps et retourne chez lui pour y mourir.

Quant au père Chaumonot, il est noté que, le 23 juillet 1665, à titre d'aumônier, il accompagne quatre compagnies du régiment de Carignan, qui partent construire le Fort Richelieu, là même où le père Anne de Nouë avait trouvé une mort tragique en 1642 et qui est maintenant devenue la ville de Sorel.

Le 10 janvier 1666, c'est le père Pierre Raffeix qui quittera Sillery pour accompagner 300 militaires du régiment de Carignan et une centaine de canadiens en tant qu'aumônier militaire.

Comme le père Beschefert, tous les Jésuites assignés aumôniers militaires seront signalés dans les recensements de 1666-1667 et de 1681 comme étant rattachés au collège des Jésuites de Québec.

La présence des troupes du roi a été fructueuse et en 1667, les Iroquois réclament des « robes noires » en faisant la paix.

C'est ainsi que le père Frémin et ses deux compagnons, les pères Jacques Bruyas et Jean Pierron deviennent les premiers messagers jésuites officiels de l'Évangile en Iroquoisie.

Un Pays à construire

La dissolution du régiment incite la majorité des troupes à se fixer au pays.

Dans un objectif de peuplement de la colonie, le pouvoir royal prévoit cette éventualité, en facilitant l'installation des officiers et leurs militaires sur des domaines de la couronne.

Des seigneuries sont offertes aux premiers, qui à leur tour, les partagent avec les soldats de leur compagnie.

Et dès 1669, « les Filles du Roy », en devenant leurs épouses, sont dotées par le souverain. Trois mois après leur arrivée, la plupart sont déjà nanties d'un mari !

Les épousailles se feront à la basilique Notre-Dame de Québec, et Monsieur le Comte de Frontenac leur servira de témoin.

La démarche de Mgr de Laval, de réclamer des troupes pour faire la paix, n'aura pas été nulle !

La population québécoise de souche se souvient de ses origines, qui ont pris racine à cette époque.

Appendice V

Les Jésuites en Nouvelle-France signalés dans les recensements 1666, 1667 et 1681

C'est après avoir détruit tous les bâtiments de la mission huronne que, le 10 juin 1650, les rapatriés, dont soixante Français et 440 Hurons, sous la conduite du père Chaumonot, se sont dirigés vers Québec, qu'ils atteindront le 28 juillet suivant.

Dès le 23 août, les pères Pijeart, Le Greslon et Du Perron s'embarquent pour La Rochelle.

Puis, le 21 septembre suivant, les pères Bonnin et Daran, ainsi que les frères Claude Joyer et Nicolas Noirclar, partent à leur tour.

Bien que le père de Lyonnes soit de la même traversée, c'est plutôt son rôle de « messager » du courrier des communautés qui le conduit en France. Il reviendra avec la flotte du printemps et poursuivra cette activité jusqu'en 1659.

Enfin, le 2 novembre, les « donnés » Molère et Régnaut quitteront Québec, accompagnés du père Bressani, qui retourne en Italie, et du père Jérôme Lalement, qui va rendre compte de la mission aux autorités françaises; il avait terminé son mandat l'année précédente, et le père Paul Ragueneau l'y avait remplacé.

En Nouvelle-France se poursuivent les mouvements déjà cités et les affectations aux missions iroquoises. Le recensement de 1666 signale la présence des pères déjà connus, où sont relevés dix pères, sept frères et huit donnés.

On retrouve, entre autres, François Le Mercier, supérieur, Claude Dablon, ministre, Jérôme Lalement, Claude Pijeart, Pierre Chastelain, Pierre Joseph Marie Chaumomot, Thierry Beschefert, Pierre Raffeix, Claude Bardy et le « donné » Charles Boquet. Le recensement 1667 demeure sensiblement le même.

Enfin, sous la rubrique « La Maison des Jésuites », le recensement de 1681, le dernier et le plus complet de la population en Nouvelle-France avant la cession, signale huit pères, dont Claude Pijeart, 82 ans, Pierre Chastelain, 74 ans, Claude Dablon, 62 ans, Jacques Frémin, 60 ans, Thierry Beschefert, 52 ans et Pierre Raffeix, 52 ans, en plus de sept frères et de quatre donnés, dont Charles Boquet, 51 ans.

C'est à la mission des Hurons, à Notre-Dame de Lorette, qu'est signalé Pierre-Joseph-Marie Chaumenot, 68 ans, et dans celles des missions ou seigneuries du Bas Canada, que sont recensés six pères et deux frères, et dans les missions lointaines, 14 pères et trois frères.

Entre temps, depuis l'ouverture du séminaire de Québec, en 1665, dix canadiens recoivent l'ordination sacerdotale.

Le clergé québécois s'apprête à prendre la relève spirituelle assumée par les pères Jésuites depuis leur arrivée en Nouvelle-France en 1625. Ainsi, à l'aube du XVIIIe siècle commence à s'écrire une autre page d'histoire.

MISSIO CANADENSIS.

P. Petrus Chazelle, *Sup. a die 20 apr. 1842, Oper. præp. eccles. Prat.*

P. Remigius Jos. Tellier, *Min. Præs. coll. cns., Collig. punct. pro lit. an., Script. hist. miss., Oper., Cons. an. 1.*

P. Dominicus du Ranquet, *Parat se ad miss. apud Silvic. (ad lac. duorum montium.), Oper.*

P. Felix Martin, *Admon., Oper., Cons. an. 1.*

P. Josephus Hanipaux, *Oper.*

P. Paulus Luiset, *Præf. spir., Conf. NN., Oper., Cons. an. 1.*

COADJUTORES.

Emmanuël Brenans, *Coq.*

Josephus Jennesseaux, *Parut se ad miss. apud Silvic. (ad lac. duorum montium.)*

Petrus Tupin, *Ad domest.*

PP. 6. — Coadj. 3.
Univ. 9.

Liste des premiers Jésuites de retour au Canada en 1842
(d'après une page d'un catalogue de France de l'époque)

Pour mémoire

On sait que 1773 avait vécu la suppression de la Compagnie de Jésus par le pape Clément XIV et que le décès du père Jean-Joseph Casot, en 1800, dernier survivant jésuite après sa dissolution, devait mettre fin temporairement à sa présence en Nouvelle-France.

Mais on sait aussi qu'elle sera restaurée en 1814 par le pape Pie VII.

Mgr Bourget, deuxième évêque de Montréal, en faisant « l'appel aux Jésuites » en 1841, déterminera, l'année suivante, le retour de la Compagnie au Canada sous la direction du père Pierre Chazelle, assisté de cinq pères et de trois frères coadjuteurs, dont le père Félix Martin, qui laissera de nombreux ouvrages sur l'histoire des Jésuites au XVIIᵉ siècle avec celle de la mission Saint-Joseph de Sillery.

Ce passionné de l'histoire religieuse canadienne provoque l'intérêt qui va conduire à la découverte de la dépouille du père Énemond Massé, enfouie depuis deux siècles sous les vestiges de la chapelle primitive de la mission.

Dix ans plus tard, le collège Sainte-Marie « le Grand Collège » accueillera plus de 175 élèves et, en 1865, inaugurera la chapelle et la salle du Gesù.

Mais ceci est une autre histoire !

Vue du Collège Sainte-Marie en 1851

L'église du Gesù vers 1942, (à gauche, le Collège Sainte-Marie, démoli en 1976-1977)

L'Église du Gesù, construite en 1863, a été restaurée par les Jésuites en 1983 sous la direction du Père Claude Langlois, s.j. (photo : P. Laval Girard, s.j.)

Appendice VI

Index des personnes mentionnées

ADAM, Père Nicolas, s.j. (missionnaire à Québec)

ADÉLAÏDE DE SAVOIE (fondatrice de l'Abbaye des Bénédictines de Montmartre)

AIGUILLON, Marie-Madeleine d', Duchesse (nièce de Richelieu et fondatrice financière du monastère des Augustines de l'Hôtel-Dieu de Québec)

AHUNTSIC (catéchiste du Père Nicolas Viel, tué avec lui par les Iroquois au Sault au Récollet sur la rivière des Prairies en 1625.

AILLEBOUST, Louis d' (gentilhomme de la Compagnie de Ville Marie et gouverneur en Nouvelle-France)

ALBANEL, Père Charles, s.j. (missionnaire au Cap de la Madeleine, dans la région du Saguenay et dans les territoires des Grands Lacs)

ALEXANDRE III (souverain pontife régnant lors de la fondation de la Compagnie de Jésus en 1538)

ALLOUEZ, Père Claude, s.j. (missionnaire dans la région des Grands Lacs et de l'Illinois au Mississipi)

AMYOT, Père Jean, s.j. (missionnaire décédé et inhumé à Sillery)

ANGO, des Mazerets, Louis (prêtre de l'évêché de Québec et co-auteur de l'Office de la Sainte Famille)

AVAUGOUR, Baron Dubois d' (gouverneur en Nouvelle-France)

BACON, Lise (ministre des Affaires culturelles du Gouvernement du Québec de 1986 à 1989)

BARDY, Père Claude, s.j. (aumônier militaire sur le navire du Marquis de Tracy en 1665)

BECQUET, Thomas (beau-frère de Richard Dobell, occupe la Maison des Jésuites de 1857 à 1897 et gère les chantiers de construction des navires de la compagnie Dobell)

BERNIÈRES, Henri de (prêtre, premier curé à la cathédrale Notre-Dame de Québec, de 1660 à 1687; premier Supérieur du séminaire de Mgr de Laval en 1665 et co-auteur de l'Office de la Sainte Famille)

BESCHEFERT, Père Thierry, s.j. (aumônier militaire en 1665, missionnaire en Iroquoisie et Supérieur du Collège des Jésuites de Québec)

BIARD, Père Pierre, s.j. (missionnaire à Port Royal en Acadie)

BIENHEUREUX, Pierre Favre, s.j. (co-fondateur de la Compagnie de Jésus)

BOBADILLA, Nicolas, s.j. (co-fondateur de la Compagnie de Jésus)

BONNIN, Père Jacques, s.j. (missionnaire en Huronie)

BOULARD, Père s.j. (missionnaire à Québec et co-auteur de l'Office de la Sainte Famille)

BOULONGNE, Barbe (épouse de Louis d'Ailleboust)

BOULONGNE, Philippe-Gertrude (ursuline et soeur aînée de Madame Barbe d'Ailleboust)

BRÉBEUF, Père Jean de, s.j. (missionnaire à Québec, supérieur et missionnaire et martyr en Huronie)

BRENANS, Frère Emmanuel, s.j. (du groupe des Jésuites de retour au Canada en 1842)

BRESSANI, Père François, s.j. (missionnaire en Huronie)

BROUET, Frère Ambroise, s.j. (missionnaire en Huronie)

BRUYAS, Père Jacques, s.j. (missionnaire à Québec et dans les cantons Iroquois)

BUREL, Frère Gilbert, s.j. (missionnaire à Québec)

BUTEUX, Père Jacques, s.j. (missionnaire à Sillery et dans la région de la Mauricie, tué par les Iroquois lors d'une embuscade sur la rivière Saint-Maurice)

CAMPEAU, Père Lucien, s.j. (écrivain historien au xxe siècle)

CARON, Père Joseph le (récollet, Supérieur de sa congrégation à Québec)

CASOT, Père Jean Joseph, s.j. (dernier survivant Jésuite au Canada après la dissolution de la Compagnie de Jésus en 1773, décédé à Québec en 1800)

CASSON, Mr François Dollier de, p.s.s. (missionnaire dans la région des Grands Lacs)

CATHEIL, Père Étienne, s.j. (missionnaire dans les cantons iroquois et la région des Grands Lacs)

CAUVERT, Frère Ambroise, s.j. (missionnaire et maître brasseur à Sillery)

CHABANEL, Père Noël, s.j. (missionnaire martyr en Huronie)

CHAMPLAIN, Samuel de, (fondateur de Québec)

CHARTON, Frère François, s.j. (missionnaire à Québec)

CHASTELAIN, Père Pierre, s.j. (missionaire en Huronie et aumônier des Augustines Hospitalières à Québec)

CHAUMONOT, Père Pierre-Joseph-Marie, s.j. (missionnaire en Huronie, en Iroquoisie et à Ville Marie, puis aumônier militaire et missionnaire chez les Hurons à Notre-Dame de Lorette)

CHAZELLE, Père Pierre, s.j. (premier supérieur des Jésuites au Canada lors du retour de la Compagnie de Jésus en 1842)

CLÉMENT XIV (souverain pontife régnant lors de la suppression de la Compagnie de Jésus par le bref Dominus ac Redemptor publié le 16 août 1773)

CONDÉ, Prince de (conseiller royal à la Cour de France)

COTON, Père Pierre, s.j. (provincial des Jésuites en France et confesseur du roi Henry IV)

CRESPIEUL, Père François de, s.j. (missionnaire dans la région du Saguenay)

DABLON, Père Claude s.j. (missionnaire en Iroquoisie, dans la région des Grands Lacs, au Sagnenay sur le route de la Baie d'Hudson, Supérieur des Missions à Québec et co-auteur de l'Office de la Sainte Famille)

DANIEL, Père Antoine, s.j. (missionnaire et martyr en Huronie)

DANIEL, Charles (navigateur et frère du martyr Antoine Daniel)

D'ARAN, Père Adrien, s.j. (missionnaire en Huronie)

DAUVERSIÈRE, Jérôme de la (co-fondateur de Ville Marie)

DAVOST, Père Ambroise, s.j. (missionnaire en Huronie et à Québec)

DION OUELLET, Carmen (membre actif de la Société d'Histoire de Sillery)

DOBELL, Richard Reid (locataire durant 30 ans, puis propriétaire de la Maison des Jésuites à Sillery aux XIXe et XXe siècles)

DRUILLETTES, Père Gabriel, s.j. (missionnaire chez les Abénaquis et dans la région des Grands Lacs)

DUPÉRON, François. s.j. (aumônier militaire en 1665, décédé au Fort Saint-Louis)

ENJABRAN, Père Jean, s.j. (missionnaire dans la région des Grands Lacs)

FÉAUTE, Frère Pierre, s.j. (missionnaire à Québec)

FÉNÉLON, M. p.s.s. (missionnaire dans la région des Grands Lacs)

FLAMAND (chef iroquois du clan des Agniers)

FRÉMIN, Père Jacques, s.j. (missionnaire au Cap de la Madeleine, en Iroquoisie, et aumônier chez les Augustines Hospitalières de Québec)

FRONTENAC, Louis de Buade (gouverneur en Nouvelle-France)

GAGNÉ, Roland, capitaine, et Madame (propriétaires de la Maison des Jésuites à Sillery de 1948 à 1955)

GARNIER, Père Charles, s.j. (missionnaire et martyr en Huronie)

GARNIER, Père Julien, s.j. (missionnaire dans les cantons iroquois)

GARREAU, Père Léonard, s.j. (missionnaire en Huronie, tué par les Iroquois sur le lac des Deux-Montagnes)

GOBERT, Frère Ludger, s.j. (missionnaire en Huronie)

GOUPIL, René, «donné» (martyr en Iroquoisie)

GRAVIER, Père Jacques, s.j. (missionnaire dans l'Illinois, région du Mississipi)

GRESLON, Père Adrien Le, s.j. (missionnaire en Huronie)

HANIPAUX, Père Joseph, s.j. (du groupe des Jésuites de retour au Canada en 1842)

HÉBERT, Louis (apothicaire, premier colon français en Nouvelle-France)

HENRY IV (roi de France)

ISABELLE 1ère, dite la catholique, reine d'Espagne aux XVe et XVIe siècles)

JEAN PAUL II (souverain pontife au XXe siècle, a béatifié Catherine de Saint-Augustin, Marie de l'Incarnation, et Mgr François de Laval, qui ont tous vécu au XVIIe siècle)

JEANNESSAUX, Frère Joseph, s.j. (du groupe des Jésuites de retour au Canada en 1842)

JOGUES, Père Isaac, s.j. (missionnaire en Huronie et martyr en Iroquoisie)

KIRKE, Frères (navigateurs français au service de l'Angleterre)

LALANDE, Jean de, «donné» (missionnaire martyr en Iroquoisie)

LALEMENT, Père Charles, s.j. (missionnaire et Supérieur des Missions à Québec)

LALEMENT, Père Gabriel, s.j. (missionnaire à Sillery, en Huronie, missionnaire et martyr)

LALEMENT, Père Jérôme, s.j. (missionnaire et supérieur en Huronie et Supérieur des Missions à Québec)

LALEMENT, Père Louis, s.j. (grand consultant spirituel en France)

LAMBERVILLE, Père Jean de, s.j. (missionnaire dans les cantons iroquois)

LARAMÉE, Père Jean, s.j. (auteur de la pièce de théâtre «L'Âme Huronne» présentée au collège Garnier à Québec en 1931, lors de la canonisation des martyrs canadiens)

LATOURELLE, Père René, s.j. (auteur et écrivain au XXe siècle)

LAVAL, Mgr François de, (premier évêque en Amérique du Nord)

LAYNEZ , Diego, s.j. (co-fondateur de la Compagnie de Jésus)

LE JEUNE, Père Paul, s.j. (missionnaire à Sillery et Supérieur des Missions à Québec)

LEMOYNE, Charles (chef de troupes de guerre en Iroquoisie en 1667)

LEMOYNE, Père Simon, s.j. (missionnaire à Sillery et en Huronie)

LIÉGEOIS, Frère Jean, s.j. (missionnaire tué par les Iroquois dans une embuscade à Sillery)

L'INCARNATION, Marie de, (fondatrice des Ursulines de Québec)

LOUIS XI LE GROS (roi de France)

LOUIS XIII (roi de France)

LOUIS XIV (roi de France)

LUISET, Père Paul, s.j. (du groupe des Jésuites de retour Canada en 1842)

LYONNES, Père Martin de, s.j. (missionnaire au Cap Breton et à l'Île Miscou en Acadie)

MAISONNEUVE, Paul Chomedey de (co-fondateur de Ville Marie)

MANCE, Jeanne (co-fondatrice de Ville Marie)

MARCHÉ, Père Charles le, s.j. (missionnaire à Québec)

MARQUETTE, Père Jacques, s.j. (missionnaire dans la région des Grands Lacs et dans l'Illinois de la région du Missisipi)

MARTIN, Claude, o.p. (fils de Marie de l'Incarnation)

MARTIN, Père Félix, s.j. (du groupe des Jésuites de retour au Canada en 1842)

MASSÉ, Père Énemond, s.j. (missionnaire en Acadie et à Québec)

MASSON, Frère Pierre, s.j. (missionnaire en Huronie)

MÉDICIS, Catherine de (reine de France, épouse d'Henry IV)

MERCIER, Père François le, s.j. (missionnaire en Huronie et à la Martinique et Supérieur des Missions à Québec)

MESNARD, Père René, s.j. (missionnaire à Sillery et aux Trois-Rivières)

MILLET, Père Pierre, s.j. (missionnaire dans les cantons iroquois)

MILOT, Frère, s.j. (missionnaire noyé au cours d'une tempête dans l'Atlantique)

MOLÈRE, Joseph, «donné» (missionnaire en Huronie)

MONTMAGNY, Charles Huault de, (gouverneur en Nouvelle-France)

MORIN, Père Jacques, s.j. (missionnaire en Huronie)

MORIN, Marie (premier écrivain canadien de Ville Marie)

NOIRCLAIR, Frère Nicolas, s.j. (missionnaire en Huronie)

NOUÉ, Père Anne de, s.j. (missionnaire en Huronie, à Québec et aux Trois-Rivières)

NOUVEL, Père Henri, s.j. (missionnaire dans les territoires des Grands Lacs)

NOYROT, Père Philibert, s.j. (missionnaire à Québec, noyé lors d'une tempête dans l'Atlantique)

OLIER, M. Jean-Jacques, p.s.s. (fondateur de la compagnie de Saint-Sulpice)

PAUL III (souverain pontife qui approuvera officiellement la fondation de la Compagnie de Jésus le 27 septembre 1540)

PERRON, Père Joseph Imbert du, s.j. (missionnaire à Sillery, aux Trois-Rivières, à Ville Marie et à Québec)

PERRON, Père François du, s.j. (missionnaire en Huronie et à Sillery)

PICARD, Père Claude, s.j. (missionnaire en Huronie).

PIE VII (souverain pontife régnant lors de la promulgation de la bulle *Sollicitudo omnium Ecclesiarum* en 1814, rétablissant la Compagnie de Jésus dans le monde entier)

PIERRON, Père Pierre Jean, s.j. (missionnaire en Iroquoisie)

PIJEART, Père Claude, s.j. (missionnaire en Huronie et à Ville Marie)

PIJEART, Père Pierre, s.j. (missionnaire en Huronie et à Québec)

PONCET DE LA RIVIERE, Père Joseph Antoine, s.j. (missionnaire en Huronie à Ville Marie, à Québec et en Martinique)

PONCET DE LA RIVIERE, Jean, (membre de la Compagnie des Cent Associés et Père du missionnaire Antoine)

POULIOT, Père Adrien, s.j. (conservateur du musée de Sillery de 1956 à 1973)

PRÉTAL, Amable, s.j. (Père missionnaire à Québec)

PUISEAUX, Pierre de, seigneur de Montrenault (après avoir fait fortune aux Indes occidentales, devient propriétaire des deux plus belles résidences à Québec et à Sillery, et mécène lors de la construction de la chapelle Saint-Michel)

QUEN, Père Jean de, s.j. (missionnaire à Sillery et au Saguenay, et Supérieur des Missions à Québec)

QUENTIN, Père Claude, s.j. (missionnaire à l'Île de Miscou et procureur des Missions canadiennes)

RAFFEIX, Père Paul, s.j. (missionnaire aumônier militaire en Iroquoisie)

RAGUENEAU, Père Paul, s.j. (missionnaire et supérieur en Huronie et Supérieur des Missions à Québec)

RANQUET, Père Dominique du, s.j. (du groupe des Jésuites de retour au Canada en 1842)

RAYBAULT, Père Charles, s.j. (missionnaire aux Trois-Rivières et en Huronie)

REGNAUT, Christophe, «donné» (missionnaire en Huronie)

RICHARD, Père André, s.j. (missionnaire au Cap Breton et à l'Île de Miscou)

RICHELIEU, Cardinal de (Armand Jean du Plessis, prélat et homme d'État français, 1596-1642)

RODRIGUEZ, Simon, s.j. (co-fondateur de la Compagnie de Jésus)

SAINTE BRIGITTE DE SUÈDE (mystique suédoise, 1303-1373)

SAINT CHARLES BORROMÉE (archevêque cardinal au XVIe siècle et réformateur de l'Église en Italie)

SAINT FRANCOIS DE SALES (évêque de Suisse, fondateur de l'Ordre de la Visitation et docteur de l'Église)

SAINT FRANCOIS-XAVIER (co-fondateur de la Compagnie de Jésus)

SAINT IGNACE DE LOYOLA (fondateur de la Compagnie de Jésus)

SAINT JEAN DE LA CROIX (co-réformateur des carmels d'Espagne et docteur de l'Église)

SAINT JEAN EUDES (prêtre français fondateur de la communauté des Eudistes)

SAINT PHILIPPE DE NÉRI (prêtre italien, fondateur de l'Oratoire d'Italie)

SAINTE THÉRÈSE D'AVILA (réformatrice des Carmels d'Espagne, docteur de l'Eglise)

SAINT THOMAS BECKET (archevêque de Canterbury et martyr)

SAINT THOMAS D'AQUIN dominicain, (théologien italien et docteur de l'Église)

SAINT VINCENT DE PAUL (prêtre français, fondateur des Filles de la Charité, avec Louise de Mérillac)

SALMERON, Alphonse, s.j. (co-fondateur de la Compagnie de Jésus)

SILLERY, Messire Bruslard de, (mécène pour la résidence Saint-Joseph à Sillery)

SIMON, Père Charles, s.j. (missionnaire ayant séjourné à la résidence de Sillery)

SOUART, M. Gabriel, p.s.s. (curé de Ville Marie)

TELLIER, Frère Pierre le, s.j. (missionnaire à Québec)

TONDATSA (capitaine huron baptisé à Sillery)

TRACY, Marquis d, (lieutenant général du roi en Amérique du Nord)

TUPIN, Frère Pierre, s.j. (du groupe des Jésuites de retour au Canada en 1842)

TURGIS, Père Charles, s.j. (missionnaire à l'Île de Miscou en Acadie)

VACHON, Louis Albert (cardinal archevêque de Québec au XXe siècle)

VAILLANT, Père François, s.j. (missionnaire à Ville Marie)

VENDATOUR, Henry de Lévis de (vice-roi de France pour les missions canadiennes)

VIMONT, Père Barthélemy, s.j. (missionnaire à Québec et à Ville Marie et Supérieur des Missions à Québec)

SOURCES

Archives de la Compagnie de Jésus, les Fontaines, Chantilly, France.

Archives du département du Calvados, Caen, France.

Archives Nationales françaises, Paris, France.

L'Histoire des Canadiens Français (Benjamin Sulte) 1882.

Le Régiment de Carignan (d'après Benjamin Sulte et publié par Gérard Malchelosse) Montréal 1922.

Les Origines religieuses du Canada, (Georges Goyau), Paris France 1924.

Les Bienheureux martyrs de la Compagnie de Jésus au Canada (Père Frédéric Rouvier, s.j.) Montréal Québec 1925.

Les Jésuites martyrs de la Nouvelle-France (E.J. Devine s.j.) Paris France 1927.

Martyrs du Canada (P. Henri Fouqueray, s.j.) Paris France 1930.

Les Annales de l'Hôtel-Dieu de Québec, Montréal 1939.

La Vie ardente de Saint-Charles Garnier (Florian Larivière s.j.) Montréal 1957.

Jésuites de la Nouvelle-France, Paris 1960.

Les Relations de la Nouvelle-France 2ᵉ édition 1961 (1632 - 1672) Paris France.

Marie de l'Incarnation (Dom Guy-Marie Oury moine de Solesmes) Montréal et Solesmes 1973.

Ignace de Loyola fonde la Compagnie de Jésus (André Ravier) Paris 1974.

Les Jésuites et le Canada français (1842-1992) (Gilles Chaussé s.j.) Montréal 1992.

Pierre-Joseph-Marie Chaumonot (René Latourelle s.j.) Montréal 1998.

François-Joseph Bressani, missionnaire et humaniste (René Latourelle s.j.) 1999.

Le Drame de la Huronie et Jean de Brébeuf, (Denise Pepin) Montréal 1999.

Les Martyrs canadiens (Denise Pepin) Montréal 1999.

François de Laval (Denise Pepin) Montréal 2000.

Annuaire des Jésuites 2006 (publié par la Curie généralice de la Compagnie de Jésus) Rome 2005.

TABLE DES MATIÈRES

Du même auteur
aux Éditions du Long-Sault

Souvenir normand section canadienne, Numéro I, Printemps 1988.

Souvenir normand section canadienne, Numéro II, Automne 1989.

Les Jésuites en Nouvelle-France, (la maison des Jésuites à Sillery), collection : petites pierres vivantes numéro I, 1995.

Charles Garnier, collection : petites pierres vivantes, numéro 5, 1995.

Jean de Brébeuf, collection : petites pierres vivantes, numéro 2, 1996.

Isaac Jogues, collection : petites pierres vivantes, numéro 3, 1996.

Gabriel Lalemant, collection : petites pierres vivantes, numéro 4, 1996.

Antoine Daniel, collection : petites pierres vivantes, numéro 6, 1996.

Noël Chabanel, collection : petites pierres vivantes, numéro 7, 1996.

René Goupil et Jean de la Lande, collection : petites pierres vivantes, numéro 8 et 9, 1996.

Le drame de la Huronie et Jean de Brébeuf, 1999.

Les Martyrs canadiens, 1999.

Rencontre mystique, Catherine de Saint-Augustin et Jean de Brébeuf, 1999.

François de Laval, 2000.

Chroniques... pour une meilleure connaissance de Catherine de Saint-Augustin, 2000.

Deux héroïnes de Normandie, Catherine de Bayeux et Thérèse de Lisieux, 2001.

Héritage des Fondateurs de l'Église au Canada, 1642 - 1995, 2001.

François de Laval, 2002 (seconde édition)

Un imprévisible agenda, tome I, 2002

Un imprévisible agenda, tome II, Arthur Pepin, 2002

Je me souviens, Catherine de Saint-Augustin se raconte, 2003

Un imprévisible agenda, tome III, Les clins d'oeil de Catherine, 2005

Les Éditions du Long-Sault
Dépôt légal : printemps 2006
Bibliothèque Nationale du Québec
I.S.B.N. : 2-922855-17-1

Achevé d'imprimer
à Montréal
en août 2006
par
des Livres et des Copies inc.